U0136801

中國美術全集

中國美術全集

石窟寺雕塑三

全國百佳圖书出版單位
ARTTIME 時代出版
時代出版傳媒股份有限公司
黄山書社

目　　録

浙江西湖石窟（公元九四二年至公元一三六八年）

頁碼	名稱	時代	出土發現地	收藏地
576	地藏菩薩	五代十國・吴越	浙江杭州市西湖南岸慈雲嶺資延寺	
577	觀世音菩薩	五代十國・吴越	浙江杭州市西湖南岸慈雲嶺資延寺	
577	大勢至菩薩	五代十國・吴越	浙江杭州市西湖南岸慈雲嶺資延寺	
578	天王	五代十國・吴越	浙江杭州市西湖南岸慈雲嶺資延寺	
578	七尊像	五代十國・吴越	浙江杭州市西湖南岸慈雲嶺資延寺	
580	羅漢	五代十國・吴越	浙江杭州市西湖南岸翁家山烟霞洞	
581	羅漢	五代十國・吴越	浙江杭州市西湖南岸翁家山烟霞洞	
581	羅漢	五代十國・吴越	浙江杭州市西湖南岸翁家山烟霞洞	
582	觀世音菩薩	北宋	浙江杭州市西湖南岸翁家山烟霞洞	
582	大勢至菩薩	北宋	浙江杭州市西湖南岸翁家山烟霞洞	
583	盧舍那佛會	北宋	浙江杭州市北高峰東南飛來峰青林洞	
584	傳法取經故事	北宋	浙江杭州市北高峰東南飛來峰龍泓洞	
586	布袋彌勒	南宋	浙江杭州市北高峰東南飛來峰	
588	弟子	南宋	浙江杭州市北高峰東南飛來峰	
589	弟子	南宋	浙江杭州市北高峰東南飛來峰	
589	弟子	南宋	浙江杭州市北高峰東南飛來峰	
590	華嚴三聖	元	浙江杭州市北高峰東南飛來峰青林洞	
591	寶藏神	元	浙江杭州市北高峰東南飛來峰龍泓洞	
592	金剛手菩薩	元	浙江杭州市北高峰東南飛來峰龍泓洞	
592	布袋彌勒	元	浙江杭州市北高峰東南飛來峰龍泓洞	
593	數珠觀音	元	浙江杭州市北高峰東南飛來峰龍泓洞	
593	倚坐佛	元	浙江杭州市北高峰東南飛來峰龍泓洞	
594	韋馱天	元	浙江杭州市北高峰東南飛來峰龍泓洞	
594	立佛	元	浙江杭州市北高峰東南飛來峰龍泓洞	
595	坐佛	元	浙江杭州市北高峰東南飛來峰通天洞	
596	普賢菩薩	元	浙江杭州市北高峰東南飛來峰	
597	多聞天王	元	浙江杭州市北高峰東南飛來峰	
598	觀世音菩薩	元	浙江杭州市北高峰東南飛來峰	
599	救度佛母	元	浙江杭州市北高峰東南飛來峰呼猿洞	

浙江紹興柯岩石刻（公元九六〇年至公元一一二七年）

頁碼	名稱	時代	出土發現地	收藏地
600	彌勒佛	北宋	浙江紹興市柯岩村	

四川廣元千佛崖石窟（公元三八六年至公元九〇七年）

頁碼	名稱	時代	出土發現地	收藏地
601	脅侍菩薩	北魏	四川廣元市千佛崖石窟第7號大佛窟	
602	坐佛	西魏	四川廣元市千佛崖石窟第21號三聖堂	
603	彌勒佛	隋	四川廣元市千佛崖石窟第38號北大佛窟	
604	地藏菩薩	唐	四川廣元市千佛崖石窟第7號大佛窟	
605	坐佛	唐	四川廣元市千佛崖石窟蓮花洞	
606	坐佛	唐	四川廣元市千佛崖石窟蓮花洞	
607	彌勒佛	唐	四川廣元市千佛崖石窟第11號神龍窟	
608	菩提瑞像	唐	四川廣元市千佛崖石窟第33號菩提瑞像窟	
609	供養人	唐	四川廣元市千佛崖石窟第33號菩提瑞像窟	
610	弟子	唐	四川廣元市千佛崖石窟第33號菩提瑞像窟	
612	鼓樂圖	唐	四川廣元市千佛崖石窟第33號菩提瑞像窟	
613	彌勒佛	唐	四川廣元市千佛崖石窟第30號彌勒窟	
614	力士	唐	四川廣元市千佛崖石窟第30號彌勒窟	
614	力士	唐	四川廣元市千佛崖石窟第22號中心柱窟	
615	坐佛	唐	四川廣元市千佛崖石窟第22號中心柱窟	
616	立佛	唐	四川廣元市千佛崖石窟第16號大雲洞	
617	天王 供養人像	唐	四川廣元市千佛崖石窟第16號大雲洞	
618	坐佛	唐	四川廣元市千佛崖石窟第16號大雲洞	
619	彌勒佛	唐	四川廣元市千佛崖石窟第32號蘇頲龕	
620	天龍八部衆	唐	四川廣元市千佛崖石窟第46號阿彌陀窟	
621	坐佛	唐	四川廣元市千佛崖石窟第28龕	
622	菩薩	唐	四川廣元市千佛崖石窟第2號釋迦多寶窟	

頁碼	名稱	時代	出土發現地	收藏地
622	地藏菩薩	唐	四川廣元市千佛崖石窟第2號釋迦多寶窟	
623	坐佛	唐	四川廣元市千佛崖石窟第5號牟尼閣窟	
624	涅槃變	唐	四川廣元市千佛崖石窟第4號睡佛窟	
624	涅槃變	唐	四川廣元市千佛崖石窟第4號睡佛窟	
625	坐佛	唐	四川廣元市千佛崖石窟第8號千佛窟	
626	千佛	唐	四川廣元市千佛崖石窟第8號千佛窟	

四川廣元皇澤寺石窟（公元五三五年至公元九〇七年）

頁碼	名稱	時代	出土發現地	收藏地
627	中心柱造像	西魏	四川廣元市皇澤寺石窟第45號中心柱窟	
628	坐佛	隋	四川廣元市皇澤寺石窟第37窟	
629	立佛	隋	四川廣元市皇澤寺石窟第51號龕	
630	坐佛	唐	四川廣元市皇澤寺石窟第45號中心柱窟	
631	飛天	唐	四川廣元市皇澤寺石窟第45號中心柱窟	
631	菩薩	唐	四川廣元市皇澤寺石窟第45號中心柱窟	
632	坐佛	唐	四川廣元市皇澤寺石窟第38窟	
633	五尊像	唐	四川廣元市皇澤寺石窟第28號大佛窟	
634	阿彌陀佛	唐	四川廣元市皇澤寺石窟第28號大佛窟	
635	迦葉 觀世音菩薩	唐	四川廣元市皇澤寺石窟第28號大佛窟	
636	阿難 大勢至菩薩	唐	四川廣元市皇澤寺石窟第28號大佛窟	
637	天龍八部衆之一	唐	四川廣元市皇澤寺石窟第28號大佛窟	
638	天龍八部衆之二	唐	四川廣元市皇澤寺石窟第28號大佛窟	

四川巴中石窟（公元五八一年至公元九〇七年）

頁碼	名稱	時代	出土發現地	收藏地
639	立佛	隋	四川巴中市北龕摩崖第1窟	
640	立佛	隋	四川巴中市北龕摩崖第2窟	
641	飛天	唐	四川巴中市北龕摩崖第7窟	

頁碼	名稱	時代	出土發現地	收藏地
641	供養人	唐	四川巴中市北龕摩崖第7窟	
642	力士	隋	四川巴中市西龕摩崖第16窟	
643	樓閣	唐	四川巴中市西龕摩崖第35窟	
644	菩薩 天龍八部衆	唐	四川巴中市西龕摩崖第5窟	
645	菩薩 弟子	唐	四川巴中市西龕摩崖第10窟	
646	觀世音菩薩	唐	四川巴中市南龕摩崖第60號龕	
646	地藏菩薩	唐	四川巴中市南龕摩崖第61號龕	
647	地藏菩薩	唐	四川巴中市南龕摩崖第25窟	
648	西方净土變	唐	四川巴中市南龕摩崖第62窟	
649	菩薩	唐	四川巴中市南龕摩崖第62窟	
650	如意輪觀音	唐	四川巴中市南龕摩崖第16號龕	
650	鬼子母	唐	四川巴中市南龕摩崖第68窟	
651	坐佛	唐	四川巴中市南龕摩崖第70窟	
652	毗盧遮那佛	唐	四川巴中市南龕摩崖第103窟	
653	雙頭瑞像	唐	四川巴中市南龕摩崖第83號龕	
654	觀世音菩薩	唐	四川巴中市南龕摩崖第86窟	
655	觀世音菩薩	唐	四川巴中市南龕摩崖第87號龕	
655	飛天	唐	四川巴中市南龕摩崖第78號阿彌陀净土變外龕	
656	阿彌陀佛	唐	四川巴中市南龕摩崖第105窟	
657	觀世音菩薩 弟子	唐	四川巴中市南龕摩崖第105窟	
658	西方净土變	唐	四川巴中市南龕摩崖第116窟	
659	天王	唐	四川巴中市南龕摩崖第116窟	
659	舍利塔	唐	四川巴中市南龕摩崖第89號龕	
660	毗沙門天王	唐	四川巴中市南龕摩崖第65號龕	
661	藥師佛	唐	四川巴中市水寧寺摩崖第1窟	
662	力士	唐	四川巴中市水寧寺摩崖第1窟	
662	天王	唐	四川巴中市水寧寺摩崖第2號釋迦説法龕	
663	坐佛	唐	四川巴中市水寧寺摩崖第2窟	
664	菩薩 阿難	唐	四川巴中市水寧寺摩崖第2窟	
665	迦葉	唐	四川巴中市水寧寺摩崖第2窟	
665	飛天	唐	四川巴中市水寧寺摩崖第2窟	
666	釋迦彌勒説法	唐	四川巴中市水寧寺摩崖第3窟	
667	菩薩 弟子 力士	唐	四川巴中市水寧寺摩崖第3窟	
668	釋迦説法	唐	四川巴中市水寧寺摩崖第8窟	

頁碼	名稱	時代	出土發現地	收藏地
669	天王 力士	唐	四川巴中市水寧寺摩崖第8窟	
670	力士	唐	四川巴中市水寧寺摩崖第8窟	
671	菩薩	唐	四川巴中市水寧寺摩崖第8窟	
672	供養菩薩	唐	四川巴中市水寧寺摩崖第8窟	

四川北部其他石窟（公元六一八年至公元九〇七年）

頁碼	名稱	時代	出土發現地	收藏地
673	彌勒佛	唐	四川梓潼縣卧龍山千佛岩摩崖第1窟	
674	菩薩	唐	四川梓潼縣卧龍山千佛岩摩崖第1窟	
675	菩薩	唐	四川梓潼縣卧龍山千佛岩摩崖第1窟	
676	釋迦説法	唐	四川梓潼縣卧龍山千佛岩摩崖第2窟	
676	天龍八部	唐	四川梓潼縣卧龍山千佛岩摩崖第2窟	
677	神將	唐	四川劍閣縣鶴鳴山石窟第1龕	
678	神將	唐	四川劍閣縣鶴鳴山石窟第1龕	
679	長生保命天尊	唐	四川劍閣縣鶴鳴山石窟第2窟	
680	天尊	唐	四川劍閣縣鶴鳴山石窟第3龕	
680	神將	唐	四川劍閣縣鶴鳴山石窟第4龕	
681	神將	唐	四川劍閣縣鶴鳴山石窟第4龕	

四川安岳石窟（公元六一八年至公元一二七九年）

頁碼	名稱	時代	出土發現地	收藏地
682	涅槃變	唐	四川安岳縣卧佛院摩崖第3窟	
684	菩薩	唐	四川安岳縣卧佛院摩崖第3窟	
684	弟子	唐	四川安岳縣卧佛院摩崖第3窟	
685	力士	唐	四川安岳縣卧佛院摩崖第3窟	
686	千手觀音菩薩	唐	四川安岳縣卧佛院摩崖第45龕	
687	飛天	唐	四川安岳縣卧佛院摩崖第59窟	
687	飛天	唐	四川安岳縣卧佛院摩崖第59窟	

頁碼	名稱	時代	出土發現地	收藏地
688	立佛	唐	四川安岳縣卧佛院摩崖第64龕	
689	浮雕經幢	五代十國	四川安岳縣卧佛院摩崖第52龕	
690	坐佛	唐	四川安岳縣千佛寨摩崖第50龕	
690	力士	唐	四川安岳縣千佛寨摩崖第50、51龕	
691	弟子 菩薩 天龍八部衆	唐	四川安岳縣千佛寨摩崖第51龕	
692	菩薩	唐	四川安岳縣千佛寨摩崖第56窟	
693	菩薩	唐	四川安岳縣千佛寨摩崖第96窟	
694	西方三聖	北宋	四川安岳縣千佛寨摩崖第24窟	
695	道教護法神將	唐	四川安岳縣玄妙觀第62龕	
696	明王	五代十國	四川安岳縣圓覺洞摩崖第13龕	
697	凈瓶觀音菩薩	北宋	四川安岳縣圓覺洞摩崖第7窟	
698	善財	北宋	四川安岳縣圓覺洞摩崖第7窟	
698	飛天	北宋	四川安岳縣圓覺洞摩崖第7窟	
699	立佛	北宋	四川安岳縣圓覺洞摩崖第10窟	
700	蓮花手觀音菩薩	北宋	四川安岳縣圓覺洞摩崖第14窟	
701	供養人	北宋	四川安岳縣圓覺洞摩崖第14窟	
702	柳本尊十煉圖	北宋	四川安岳縣毗盧洞摩崖第8窟	
704	毗盧遮那佛	北宋	四川安岳縣毗盧洞摩崖第8窟	
705	柳本尊煉指	北宋	四川安岳縣毗盧洞摩崖第8窟	
705	柳本尊禪修	北宋	四川安岳縣毗盧洞摩崖第8窟	
706	柳本尊煉陰	北宋	四川安岳縣毗盧洞摩崖第8窟	
706	文吏	北宋	四川安岳縣毗盧洞摩崖第8窟	
707	官吏	北宋	四川安岳縣毗盧洞摩崖第8窟	
707	吏目	北宋	四川安岳縣毗盧洞摩崖第8窟	
708	護法天王	北宋	四川安岳縣毗盧洞摩崖第8窟	
709	女供養人	北宋	四川安岳縣毗盧洞摩崖第8窟	
709	捧斷臂女	北宋	四川安岳縣毗盧洞摩崖第8窟	
710	割髮女	北宋	四川安岳縣毗盧洞摩崖第8窟	
711	水月觀音菩薩	北宋	四川安岳縣毗盧洞摩崖第19窟	
712	華嚴三聖	北宋	四川安岳縣華嚴洞	
713	菩薩 道徒	北宋	四川安岳縣華嚴洞	
714	菩薩 比丘	北宋	四川安岳縣華嚴洞	
716	辯音菩薩	北宋	四川安岳縣華嚴洞	
717	威德自在菩薩	北宋	四川安岳縣華嚴洞	

頁碼	名稱	時代	出土發現地	收藏地
718	圓覺菩薩	北宋	四川安岳縣華嚴洞	
719	比丘	北宋	四川安岳縣華嚴洞	
719	道徒	北宋	四川安岳縣華嚴洞	
720	善財五十三參圖	北宋	四川安岳縣華嚴洞	
720	善財五十三參圖	北宋	四川安岳縣華嚴洞	
721	諸天 羅漢	北宋	四川安岳縣大般若洞	
721	護法神	北宋	四川安岳縣茗山寺第12龕	
722	藥師佛	南宋	四川安岳縣净慧岩摩崖第12龕	
723	數珠手觀音菩薩	南宋	四川安岳縣净慧岩摩崖第15龕	
723	居士	南宋	四川安岳縣净慧岩摩崖第6龕	
724	天王	南宋	四川安岳縣高升大佛岩摩崖第1窟	

四川其他石窟（公元六一八年至公元一一二七年）

頁碼	名稱	時代	出土發現地	收藏地
725	菩提瑞像	唐	四川蒲江縣飛仙閣摩崖第60龕	
726	菩提瑞像	唐	四川蒲江縣飛仙閣摩崖第9龕	
727	觀世音菩薩	唐	四川蒲江縣飛仙閣摩崖第9龕	
727	天王	唐	四川蒲江縣飛仙閣摩崖第9龕	
728	立佛	唐	四川蒲江縣飛仙閣摩崖第67龕	
729	三菩薩	五代十國	四川蒲江縣飛仙閣摩崖第37窟	
730	力士	唐	四川蒲江縣看燈山摩崖大佛窟	
731	樓閣	唐	四川邛崍市石笋山摩崖第4龕	
732	坐佛	唐	四川邛崍市石笋山摩崖第32龕	
733	力士	唐	四川邛崍市石笋山摩崖第32龕	
733	力士	唐	四川邛崍市石笋山摩崖第32龕	
734	毗沙門天王	唐	四川邛崍市石笋山摩崖第33龕	
735	阿彌陀佛	唐	四川眉山市石碓窩摩崖第4龕	
736	千手觀音菩薩	唐	四川丹棱縣鄭山摩崖第64龕	
737	千手觀音變相	唐	四川丹棱縣劉嘴摩崖第45龕	
738	彌勒半身大佛	唐	四川仁壽縣牛角寨摩崖第30龕	
739	三清像	唐	四川仁壽縣牛角寨摩崖第53龕	

頁碼	名稱	時代	出土發現地	收藏地
740	彌勒佛	唐	四川樂山市凌雲山	
741	彌勒佛	唐	四川夾江縣千佛崖摩崖第135龕	
742	毗沙門天王	唐	四川夾江縣千佛崖摩崖第136龕	
743	千手觀音菩薩	唐	四川資中縣重龍山摩崖第113龕	
744	毗沙門天王	唐	四川資中縣重龍山摩崖第58龕	
745	立佛	北宋	四川資中縣東岩摩崖第2窟	
746	彌勒佛	唐	四川内江市翔龍山摩崖	

重慶大足石窟（公元八九二年至公元一二七九年）

頁碼	名稱	時代	出土發現地	收藏地
747	三世佛	唐	重慶大足縣北山石窟第51龕	
748	毗沙門天王	唐	重慶大足縣北山石窟第5龕	
749	觀世音菩薩	唐	重慶大足縣北山石窟第10龕	
750	觀無量壽佛經變	唐	重慶大足縣北山石窟第245龕	
751	藥師净土變	五代十國	重慶大足縣北山石窟第279龕	
752	千手觀音菩薩	五代十國	重慶大足縣北山石窟第273龕	
753	觀世音菩薩 地藏菩薩	五代十國	重慶大足縣北山石窟第253龕	
754	十三觀音變	北宋	重慶大足縣北山石窟第180窟	
755	觀世音菩薩變相	北宋	重慶大足縣北山石窟第180窟	
756	寶印觀音菩薩	北宋	重慶大足縣北山石窟第180窟	
756	數珠手觀音菩薩	北宋	重慶大足縣北山石窟第180窟	
757	泗州僧伽	北宋	重慶大足縣北山石窟第177窟	
758	志公和尚	北宋	重慶大足縣北山石窟第177窟	
759	萬回和尚	北宋	重慶大足縣北山石窟第177窟	
759	僧人	北宋	重慶大足縣北山石窟第177窟	
760	孔雀明王	北宋	重慶大足縣北山石窟第155窟	
761	觀世音菩薩	南宋	重慶大足縣北山石窟第149窟	
761	諸天	南宋	重慶大足縣北山石窟第149龕	
762	轉輪經藏	南宋	重慶大足縣北山石窟第136窟	
764	轉輪藏龍柱	南宋	重慶大足縣北山石窟第136窟	
765	力士	南宋	重慶大足縣北山石窟第136窟	

頁碼	名稱	時代	出土發現地	收藏地
765	數珠手觀音菩薩	南宋	重慶大足縣北山石窟第136窟	
766	不空羂索觀音菩薩	南宋	重慶大足縣北山石窟第136窟	
767	女侍者	南宋	重慶大足縣北山石窟第136窟	
767	如意珠觀音菩薩	南宋	重慶大足縣北山石窟第136窟	
768	寶印觀音菩薩	南宋	重慶大足縣北山石窟第136窟	
769	男侍者	南宋	重慶大足縣北山石窟第136窟	
769	女侍者	南宋	重慶大足縣北山石窟第136窟	
770	普賢菩薩	南宋	重慶大足縣北山石窟第136窟	
771	文殊菩薩	南宋	重慶大足縣北山石窟第136窟	
772	摩利支天	南宋	重慶大足縣北山石窟第130龕	
773	金剛	南宋	重慶大足縣北山石窟第130龕	
773	數珠手觀音菩薩	南宋	重慶大足縣北山石窟第125龕	
774	金剛	南宋	重慶大足縣北山石窟第133窟	
774	金剛	南宋	重慶大足縣北山石窟第133窟	
775	護法	南宋	重慶大足縣寶頂石窟大佛灣第2龕	
776	六道輪迴	南宋	重慶大足縣寶頂石窟大佛灣第3龕	
777	華嚴三聖	南宋	重慶大足縣寶頂石窟大佛灣第5龕	
778	千手觀音菩薩	南宋	重慶大足縣寶頂石窟大佛灣第8龕	
779	男侍者	南宋	重慶大足縣寶頂石窟大佛灣第8龕	
779	女侍者	南宋	重慶大足縣寶頂石窟大佛灣第8龕	
780	釋迦涅槃像	南宋	重慶大足縣寶頂石窟大佛灣第11窟	
782	釋迦佛	南宋	重慶大足縣寶頂石窟大佛灣第11窟	
782	菩薩	南宋	重慶大足縣寶頂石窟大佛灣第11龕	
783	力士	南宋	重慶大足縣寶頂石窟大佛灣第14龕	
784	父母恩重經變	南宋	重慶大足縣寶頂石窟大佛灣第15龕	
786	懷胎守護恩	南宋	重慶大足縣寶頂石窟大佛灣第15龕	
786	臨產受苦恩	南宋	重慶大足縣寶頂石窟大佛灣第15龕	
787	哺乳養育恩	南宋	重慶大足縣寶頂石窟大佛灣第15龕	
787	究竟憐憫恩	南宋	重慶大足縣寶頂石窟大佛灣第15龕	
788	雷公	南宋	重慶大足縣寶頂石窟大佛灣第16龕	
788	電母	南宋	重慶大足縣寶頂石窟大佛灣第16龕	
789	雨師	南宋	重慶大足縣寶頂石窟大佛灣第16龕	
789	旃遮摩耶	南宋	重慶大足縣寶頂石窟大佛灣第17龕	
790	釋迦佛前世因地修行行孝圖	南宋	重慶大足縣寶頂石窟大佛灣第17龕	

頁碼	名稱	時代	出土發現地	收藏地
791	瞿舍離子	南宋	重慶大足縣寶頂石窟大佛灣第17龕	
791	阿難	南宋	重慶大足縣寶頂石窟大佛灣第17龕	
792	觀無量壽佛經變	南宋	重慶大足縣寶頂石窟大佛灣第18龕	
793	中品下生圖	南宋	重慶大足縣寶頂石窟大佛灣第18龕	
793	信女	南宋	重慶大足縣寶頂石窟大佛灣第18龕	
794	地藏菩薩	南宋	重慶大足縣寶頂石窟大佛灣第20龕	
795	比丘	南宋	重慶大足縣寶頂石窟大佛灣第20龕	
795	速報司侍者	南宋	重慶大足縣寶頂石窟大佛灣第20龕	
796	十王侍臣	南宋	重慶大足縣寶頂石窟大佛灣第20龕	
796	十王侍者	南宋	重慶大足縣寶頂石窟大佛灣第20龕	
797	鑊湯地獄	南宋	重慶大足縣寶頂石窟大佛灣第20龕	
797	寒冰地獄	南宋	重慶大足縣寶頂石窟大佛灣第20龕	
798	鋸解地獄	南宋	重慶大足縣寶頂石窟大佛灣第20龕	
798	截膝地獄	南宋	重慶大足縣寶頂石窟大佛灣第20龕	
799	夫不識妻	南宋	重慶大足縣寶頂石窟大佛灣第20龕	
799	兄不識弟	南宋	重慶大足縣寶頂石窟大佛灣第20龕	
800	養鷄女	南宋	重慶大足縣寶頂石窟大佛灣第20龕	
801	厨女	南宋	重慶大足縣寶頂石窟大佛灣第20龕	
801	鐵輪地獄	南宋	重慶大足縣寶頂石窟大佛灣第20龕	
802	柳本尊行化圖	南宋	重慶大足縣寶頂石窟大佛灣第21龕	
802	柳本尊	南宋	重慶大足縣寶頂石窟大佛灣第21龕	
803	降三世明王	南宋	重慶大足縣寶頂石窟大佛灣第22龕	
804	大憤怒明王	南宋	重慶大足縣寶頂石窟大佛灣第22龕	
804	大穢迹明王	南宋	重慶大足縣寶頂石窟大佛灣第22龕	
805	牧牛圖	南宋	重慶大足縣寶頂石窟大佛灣第30龕	
805	牧牛圖	南宋	重慶大足縣寶頂石窟大佛灣第30龕	
806	賢善首菩薩	南宋	重慶大足縣寶頂石窟大佛灣第29窟	
806	獅子	南宋	重慶大足縣寶頂石窟大佛灣第29窟	
807	千佛	南宋	重慶大足縣寶頂石窟小佛灣第5窟	
808	金剛	南宋	重慶大足縣寶頂石窟小佛灣第8龕	
809	三清像	南宋	重慶大足縣南山石窟第5窟	
810	龍	南宋	重慶大足縣南山石窟第5窟	
810	天尊巡游	南宋	重慶大足縣南山石窟第5窟	
811	志公和尚	北宋	重慶大足縣石篆山石窟第2龕	

頁碼	名稱	時代	出土發現地	收藏地
811	太上老君	北宋	重慶大足縣石篆山石窟第8龕	
812	仲由	北宋	重慶大足縣石篆山石窟第6龕	
812	比丘	北宋	重慶大足縣石篆山石窟第7龕	
813	坐佛	北宋	重慶大足縣石篆山石窟第7龕	
814	玉皇大帝	南宋	重慶大足縣舒成岩石窟第5龕	
814	淑明皇后	南宋	重慶大足縣舒成岩石窟第1龕	
815	千里眼 順風耳	南宋	重慶大足縣石門山石窟第2龕	
816	天王	南宋	重慶大足縣石門山石窟第6窟	
816	天王	南宋	重慶大足縣石門山石窟第6窟	
817	觀音菩薩	南宋	重慶大足縣石門山石窟第6窟	
817	如意珠觀音菩薩	南宋	重慶大足縣石門山石窟第6窟	
818	數珠手觀音菩薩	南宋	重慶大足縣石門山石窟第6窟	
818	蓮花手觀音菩薩	南宋	重慶大足縣石門山石窟第6窟	
819	楊柳手觀音菩薩	南宋	重慶大足縣石門山石窟第6窟	
819	善財	南宋	重慶大足縣石門山石窟第6窟	
820	孔雀明王	南宋	重慶大足縣石門山石窟第8窟	
821	武將	南宋	重慶大足縣石門山石窟第10窟	
821	武將	南宋	重慶大足縣石門山石窟第10窟	
822	文官	南宋	重慶大足縣石門山石窟第10窟	
823	飛天	南宋	重慶大足縣妙高山石窟第4窟	
823	觀世音菩薩	南宋	重慶大足縣妙高山石窟第4窟	
824	水月觀音菩薩	南宋	重慶大足縣妙高山石窟第5窟	

重慶其他石窟（公元五八一年至公元一三六八年）

頁碼	名稱	時代	出土發現地	收藏地
825	坐佛	唐	重慶潼南縣大佛寺	
826	太乙救苦天尊	南宋	重慶潼南縣大佛寺太乙救苦天尊龕	
826	達摩	南宋	重慶合川區淶灘摩崖南岩第3龕	
827	泗州大聖	南宋	重慶合川區淶灘摩崖西岩第14龕	
828	禪宗六祖	南宋	重慶合川區淶灘摩崖西岩第15龕	
829	彌勒佛	南宋	重慶合川區淶灘摩崖北岩第2龕	

頁碼	名稱	時代	出土發現地	收藏地
830	龍女	南宋	重慶合川區淶灘摩崖北岩第2龕	
830	羅漢群像	南宋	重慶合川區淶灘摩崖北岩第3龕	
831	觀世音菩薩	北宋	重慶江津區高坪石佛寺第1龕	
832	供養菩薩	北宋	重慶江津區高坪石佛寺第1龕	
833	九龍浴太子	北宋	重慶江津區高坪石佛寺第2龕	
833	比丘	南宋	重慶江津區高坪石佛寺第4龕	
834	泗州僧伽	南宋	重慶江津區高坪石佛寺第4龕	
834	坐佛	元	重慶南岸區彈子石摩崖第1窟	

廣西桂林石窟（公元六一八年至公元一二七九年）

頁碼	名稱	時代	出土發現地	收藏地
835	佛龕	唐	廣西桂林市還珠洞摩崖	
835	釋迦佛	唐	廣西桂林市還珠洞摩崖	
836	西方三聖	唐	廣西桂林市還珠洞摩崖	
836	坐佛	唐	廣西桂林市還珠洞摩崖	
837	阿彌陀佛	唐	廣西桂林市還珠洞摩崖	
837	彌勒佛	唐	廣西桂林市還珠洞摩崖	
838	佛 弟子	北宋	廣西桂林市叠彩山摩崖	

雲南石窟（公元八二四年至公元一二五四年）

頁碼	名稱	時代	出土發現地	收藏地
839	异牟尋坐朝圖	大理國	雲南劍川縣石鐘山石窟石鐘寺區第1窟	
840	官吏及儀衛	大理國	雲南劍川縣石鐘山石窟石鐘寺區第1窟	
841	閣邏鳳議政圖	大理國	雲南劍川縣石鐘山石窟石鐘寺區第2窟	
842	侍衛武士	大理國	雲南劍川縣石鐘山石窟石鐘寺區第2窟	
843	地藏菩薩	大理國	雲南劍川縣石鐘山石窟石鐘寺區第3窟	
844	華嚴三聖	大理國	雲南劍川縣石鐘山石窟石鐘寺區第4窟	
845	普賢菩薩	大理國	雲南劍川縣石鐘山石窟石鐘寺區第4窟	

頁碼	名稱	時代	出土發現地	收藏地
846	維摩詰	大理國	雲南劍川縣石鐘山石窟石鐘寺區第5窟	
847	坐佛	大理國	雲南劍川縣石鐘山石窟石鐘寺區第6窟	
848	六足尊明王	大理國	雲南劍川縣石鐘山石窟石鐘寺區第6窟	
849	大笑明王	大理國	雲南劍川縣石鐘山石窟石鐘寺區第6窟	
849	大黑天	大理國	雲南劍川縣石鐘山石窟石鐘寺區第6窟	
850	甘露觀音	大理國	雲南劍川縣石鐘山石窟石鐘寺區第7窟	
851	阿彌陀佛 菩薩	大理國	雲南劍川縣石鐘山石窟石鐘寺區第8窟	
851	毗盧佛 菩薩	大理國	雲南劍川縣石鐘山石窟石鐘寺區第8窟	
852	毗沙門天王	大理國	雲南劍川縣石鐘山石窟沙登箐區第4龕	
853	大黑天	大理國	雲南禄勸彝族苗族自治縣密達拉三臺山摩崖	

南方其他石窟（公元九六〇年至公元一三六八年）

頁碼	名稱	時代	出土發現地	收藏地
854	太上老君	北宋	福建泉州市清源山	
855	釋迦牟尼佛	北宋	福建泉州市清源山	
855	阿彌陀佛	南宋	福建晋江市南天寺	
856	大勢至菩薩	南宋	福建晋江市南天寺	
856	觀世音菩薩	南宋	福建晋江市南天寺	
857	摩尼光佛	元	福建晋江市羅山鎮草庵摩尼教寺	
858	文殊菩薩	北宋	江西贛州市通天岩石窟	
858	羅漢	北宋	江西贛州市通天岩石窟	

859　石窟寺分布圖
860　年　表

孔望山摩崖

位于江蘇連雲港市海州區孔望山南麓最西端。開鑿于三國至西晋時期。造像目前可辨識形象者共一百零五身，其内容主要分三類：一爲佛教内容的佛傳故事、佛像和供養人；二爲道教的崇拜形象，三尊着漢式衣冠的人物爲整個造像群的中心；三爲世俗内容，如拜謁、宴飲等。此摩崖造像説明佛教傳入中國之初，尚未形成獨立的宗教派别，常與道教像共同奉祀。

釋迦佛像

三國－西晋

位于江蘇連雲港市孔望山摩崖。

造像深目高鼻，雙脚外撇，身穿圓領長衣，雙手置胸前佛作説法相，爲胡人形象。

人物

三國－西晋

位于江蘇連雲港市孔望山摩崖。

造像戴冠，袖手。此爲道教老子像。

人物

三國－西晋

位于江蘇連雲港市孔望山摩崖。

造像戴冠，着漢式服裝，作供養狀。

人物

三國－西晋
位于江蘇連雲港市孔望山摩崖。
造像深目高鼻，頭戴有翅鋭頂冠，袖手而坐。

象

三國－西晋
位于江蘇連雲港市孔望山摩崖。
高260、長480厘米。
象足上刻仰瓣蓮花，象兩腿之間淺浮雕一身象奴，頭束椎髻，右手持鈎，雙足繫鐐。

栖霞山千佛崖石窟

位于江蘇南京市栖霞山栖霞寺東北側山崖上。始鑿于南朝齊永明七年（公元489年），梁天監十年（公元511年）鑿成無量殿。現存窟龕二百九十四個，石雕造像五百一十五身，像大部分殘壞。

坐佛

南朝・齊、梁

高968厘米。

位于江蘇南京市栖霞山千佛崖石窟無量殿。

坐佛爲無量壽佛，着雙領下垂式袈裟，雙手交疊于腹前，作禪定印。面部殘損嚴重。

觀世音菩薩

南朝・齊

位于江蘇南京市栖霞山千佛崖石窟無量殿。

觀世音菩薩頭戴寶冠，面相方圓，胸飾項圈，雙肩披飄帶，下着大裙。近代曾補塑和重妝。

大勢至菩薩

南朝・齊

位于江蘇南京市棲霞山千佛崖石窟無量殿。

大勢至菩薩頭戴高寶冠，面相方圓，雙肩披飄帶，雙手舉于胸前。近代曾補塑和重妝。

新昌石刻

新昌大佛寺又名寶相寺，位于浙江新昌縣南明山。寺内石雕彌勒佛始鑿于梁天監十二年（公元513年），三年後完成。千佛岩有大小岩洞各一，壁面雕千佛。

菩薩

南朝・齊

位于浙江新昌縣千佛岩。

高200厘米。

造像頭部已殘失，有頭光，寶繒垂肩，身披帔帛，下着裙。

彌勒佛

南朝·梁

位于浙江新昌縣大佛寺。

通高2400、像高1330厘米。

佛螺髮肉髻，方臉長耳，着褒衣博帶式袈裟，雙手相疊，結跏趺坐于石座上。近代曾重妝。

西湖石窟

位于浙江杭州市西湖南岸。始鑿于五代十國吴越天福七年（公元942年），北宋、南宋、元均有續鑿，爲中國石窟中保存元代造像最多的石窟。主要分爲資延寺、烟霞洞和飛來峰三個區域，飛來峰造像保存有三百八十多身。

地藏菩薩

五代十國・吴越

位于浙江杭州市西湖南岸慈雲嶺資延寺。

龕高275厘米。

主尊爲地藏菩薩，光頭大耳，面相圓潤，外披雙領下垂袈裟，作游戲坐。兩側爲供養人。

觀世音菩薩

五代十國・吴越
位于浙江杭州市西湖南岸慈雲嶺資延寺。
高186厘米。
菩薩頭戴寶冠，冠上有化佛，身披天衣，胸挂瓔珞，右手執楊柳枝，結跏趺坐于蓮花座上。

大勢至菩薩

五代十國・吴越
位于浙江杭州市西湖南岸慈雲嶺資延寺。
高185厘米。
菩薩頭束髻戴寶冠，眉間有白毫，面相豐滿，身披天衣，拱手至前胸，結跏趺坐于蓮座上。

七尊像

五代十國・吴越

位于浙江杭州市西湖南岸慈雲嶺資延寺。

龕正中爲阿彌陀、觀世音、大勢至三尊坐像，兩側爲脅侍菩薩和天王。

天王

五代十國・吴越

位于浙江杭州市西湖南岸慈雲嶺資延寺。

天王束髮戴寶冠，身穿鎧甲，脚蹬武士靴站立在磐石上。此圖爲局部。

羅漢

五代十國・吴越

位于浙江杭州市西湖南岸翁家山烟霞洞。

高116厘米。

羅漢雙眼圓瞪，左手托鉢，右手舉寶珠，足踩祥雲。

羅漢

五代十國・吴越

位于浙江杭州市西湖南岸翁家山烟霞洞。

高98厘米。

羅漢光頭長耳，右手拉開胸膛，露出佛面，盤腿而坐。

羅漢

五代十國・吴越

位于浙江杭州市西湖南岸翁家山烟霞洞。

羅漢着交領袈裟，盤坐于地。

觀世音菩薩

北宋

位于浙江杭州市西湖南岸翁家山烟霞洞。

高200厘米。

菩薩頭戴化佛高花寶冠，眉間有白毫，披雲肩，繞帔帛，身挂長瓔珞交于腹前，左手握蓮蕾，右手持柳枝。

大勢至菩薩

北宋

位于浙江杭州市西湖南岸翁家山烟霞洞。

高185厘米。

菩薩戴化佛高寶冠，後領襟披于頭上，眉間有白毫，胸挂瓔珞，着寬袖大衣，雙手交叉于腹前，右手執念珠。

盧舍那佛會

北宋

位于浙江杭州市北高峰東南飛來峰青林洞洞口。

龕高146厘米。

主尊盧舍那佛面部殘損嚴重，有火焰紋身光和頭光，着圓領通肩袈裟，雙手上舉，結跏趺坐于束腰蓮座上；左側有文殊騎獅，右側有普賢騎象；兩側共有四菩薩二天王二力士立像。龕右有北宋乾興□□年（乾興年號衹使用一年，即公元1022年）題記。

傳法取經故事

北宋

位于浙江杭州市北高峰東南飛來峰龍泓洞洞口北側。從左至右依次爲白馬馱經故事，浮雕兩位印度高僧，題記爲“攝摩騰”和“竺法蘭”；朱士行取經故事，題記爲“朱士行”、“從人”和“天竺□□□”；玄奘取經故事，題記爲“唐三藏玄奘法師”。

布袋彌勒

南宋

位于浙江杭州市北高峰東南飛來峰沿溪峭壁。

龕通高320厘米。

佛龕根據岩石的自然形狀雕成，龕内雕布袋彌勒及十八位弟子。彌勒笑臉，大腹，左手執念珠，右手按布袋。

弟子

南宋

位于浙江杭州市北高峰東南飛來峰布袋彌勒右側。弟子着寬袖袈裟，頸挂念珠，作行走狀。

弟子

南宋

位于浙江杭州市北高峰東南飛來峰布袋彌勒左側。

弟子雙膝下跪，雙手捧一方經盒作奉獻狀。

弟子

南宋

位于浙江杭州市北高峰東南飛來峰布袋彌勒左側。

弟子盤腿而坐，仰頭上望。

華嚴三聖

元

位于浙江杭州市北高峰東南飛來峰青林洞洞口。

毗盧遮那佛戴五佛寶冠，着菩薩裝，雙手結五字劍印，文殊居左執劍，普賢居右捧經盒。三像均坐蓮座。

寶藏神

元

位于浙江杭州市北高峰東南飛來峰龍泓洞。

高200厘米。

寶藏神戴寶冠，方頤大耳，袒上身，挂瓔珞，右手執寶珠，左手握黄鼠狼，作右舒相坐，右脚踏螺。

金剛手菩薩

元

位于浙江杭州市北高峰東南飛來峰龍泓洞。

高160厘米。

金剛手菩薩方頤大眼，赤身露腹，下着短裙，帛帶飄揚，右手握金剛杵，雙腿右弓左直蹲立地上。

布袋彌勒

元

位于浙江杭州市北高峰東南飛來峰龍泓洞。

高150厘米。

彌勒光頭大耳，身軀肥胖，身披袈裟，左手執念珠，右手撫膝，席地而坐。

數珠觀音

元

位于浙江杭州市北高峰東南飛來峰龍泓洞。

像高263厘米。

觀音圓形頭光，戴高花冠，中有坐佛，着寬袖大衣，左手扼右腕，右手執一串念珠，赤足而立。

倚坐佛

元

位于浙江杭州市北高峰東南飛來峰龍泓洞。

坐佛螺髪肉髻，方頤長耳，面相豐滿，着雙領下垂袈裟，倚坐，右手作施無畏印。

韋馱天

元

位于浙江杭州市北高峰東南飛來峰龍泓洞。

高198厘米。

韋馱天戴盔披甲，着武士靴，雙手合掌，臂上横置降魔杵。

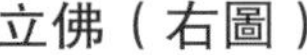

立佛（右圖）

元

位于浙江杭州市北高峰東南飛來峰龍泓洞。

高500厘米。

佛高肉髻，螺髮，身着雙領下垂式袈裟，左手作説法印，右手作與願印，赤足立于蓮花上。

坐佛

元

位于浙江杭州市北高峰東南飛來峰通天洞洞口西側。

高225厘米。

佛有圓形素面頭光，身披雙領下垂式袈裟，雙手作禪定印，結跏趺坐于蓮座上。

普賢菩薩

元

位于浙江杭州市北高峰東南飛來峰沿溪峭壁。

普賢像高188、象高116厘米。

菩薩頭戴高寶冠，冠中有化佛，披衫着裙，游戲坐于大象所馱的蓮座上，象四足踩蓮花。

多聞天王

元

位于浙江杭州市北高峰東南飛來峰沿溪峭壁。

天王方頤大眼，身穿鎧甲，帛帶飄繞，右手握幢幡，騎于青獅背上。

觀世音菩薩

元

位于浙江杭州市北高峰東南飛來峰沿溪峭壁。

高152厘米。

菩薩頭戴高寶冠，眉目清秀，右腿上屈，右手搭于右膝上。

救度佛母

元

位于浙江杭州市北高峰東南飛來峰呼猿洞西側。

高150厘米。

救度佛母戴寶冠，袒上身，戴臂釧、手鐲，身挂長瓔珞，半跏坐。

柯岩石刻

位于浙江紹興市柯橋鎮柯岩村。僅存大佛一身。

彌勒佛

北宋

位于浙江紹興市柯岩村。

高1060厘米。

彌勒佛面相豐圓，眉間有白毫，着雙領下垂袈裟，右手作説法印，倚坐。

廣元千佛崖石窟

位于四川廣元市北郊嘉陵江東岸。始鑿于北魏晚期，隋、唐續有開鑿，以唐代開窟造像最盛。宋、元、明、清均有修妝。現存窟龕八百四十八個，石雕造像七千餘身，歷代題記一百三十多則。

脅侍菩薩

北魏

位于四川廣元市千佛崖石窟第7號大佛窟南壁。

高440厘米。

菩薩圓形頭光，髮髻束帶似丫髻狀，袒上身，下着大裙。身繞帔帛交于腹前，左手提一鎖形飾環，右手執蓮花。

坐佛

西魏

位于四川廣元市千佛崖石窟第21號三聖堂。

高160厘米。

佛結跏趺坐于長方座，着雙領下垂袈裟，雙手叠于腹前。背光浮雕七佛和六飛天。佛兩側立菩薩。

彌勒佛

隋

位于四川廣元市千佛崖石窟第38號北大佛窟。

高431厘米。

佛倚坐，着雙領下垂袈裟，胸前結帶。左手撫膝，右手殘，應爲作説法印。

地藏菩薩

唐

位于四川廣元市千佛崖石窟第7號大佛窟主佛北側。

高90厘米。

地藏菩薩圓形頭光，着袒右袈裟，舒相坐，右足踏于蓮臺上，右手執一長莖蓮花。

坐佛

唐

位于四川廣元市千佛崖石窟蓮花洞北龕。

高192厘米。

坐佛螺髮，上飾圓珠，着袒右袈裟，頸戴項圈，垂瓔珞，臂戴釧，腕戴鐲，手施降魔印。旁立脅侍菩薩，頭戴寶冠，身繞帔帛，飾瓔珞。

坐佛

唐

位于四川廣元市千佛崖石窟蓮花洞南龕。

殘高130厘米。

佛螺髻，面相豐圓，着雙領下垂袈裟，右手作施無畏印。下身及佛座殘。

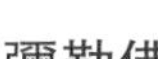

彌勒佛

唐

位于四川廣元市千佛崖石窟第11號神龍窟。

佛螺髮，高肉髻，着雙領下垂袈裟，倚坐于方座上。兩側各有一小力士托佛座。

菩提瑞像

唐

位于四川廣元市千佛崖石窟第33號菩提瑞像窟。

佛高134厘米。

窟中央鑿高壇，壇上主尊爲毗盧遮那佛。佛頭戴寶冠，結跏趺坐；身後大屏作靠背椅式；左右兩側刻弟子、菩薩和力士等。壇上後部兩端浮雕二株通頂菩提樹，樹間雕天界形象。

供養人

唐

位于四川廣元市千佛崖石窟第33號菩提瑞像窟方壇左側。

龕内浮雕供養人五身，男女二像高25厘米。男供養人戴軟巾，着圓領窄袖長袍，雙手持香爐；女供養人束高髻，着圓領窄袖衫，披帔帛，雙手持長莖蓮花。

弟子

唐

位于四川廣元市千佛崖石窟第33號菩提瑞像窟。

像高120–150厘米。

正壁和南、北壁基部鑿窄高壇，上列十二身弟子像。皆有圓形頭光，着雙領下垂袈裟，足穿方頭履。選四身。

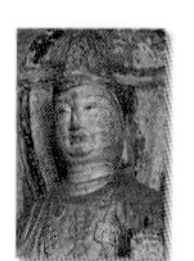

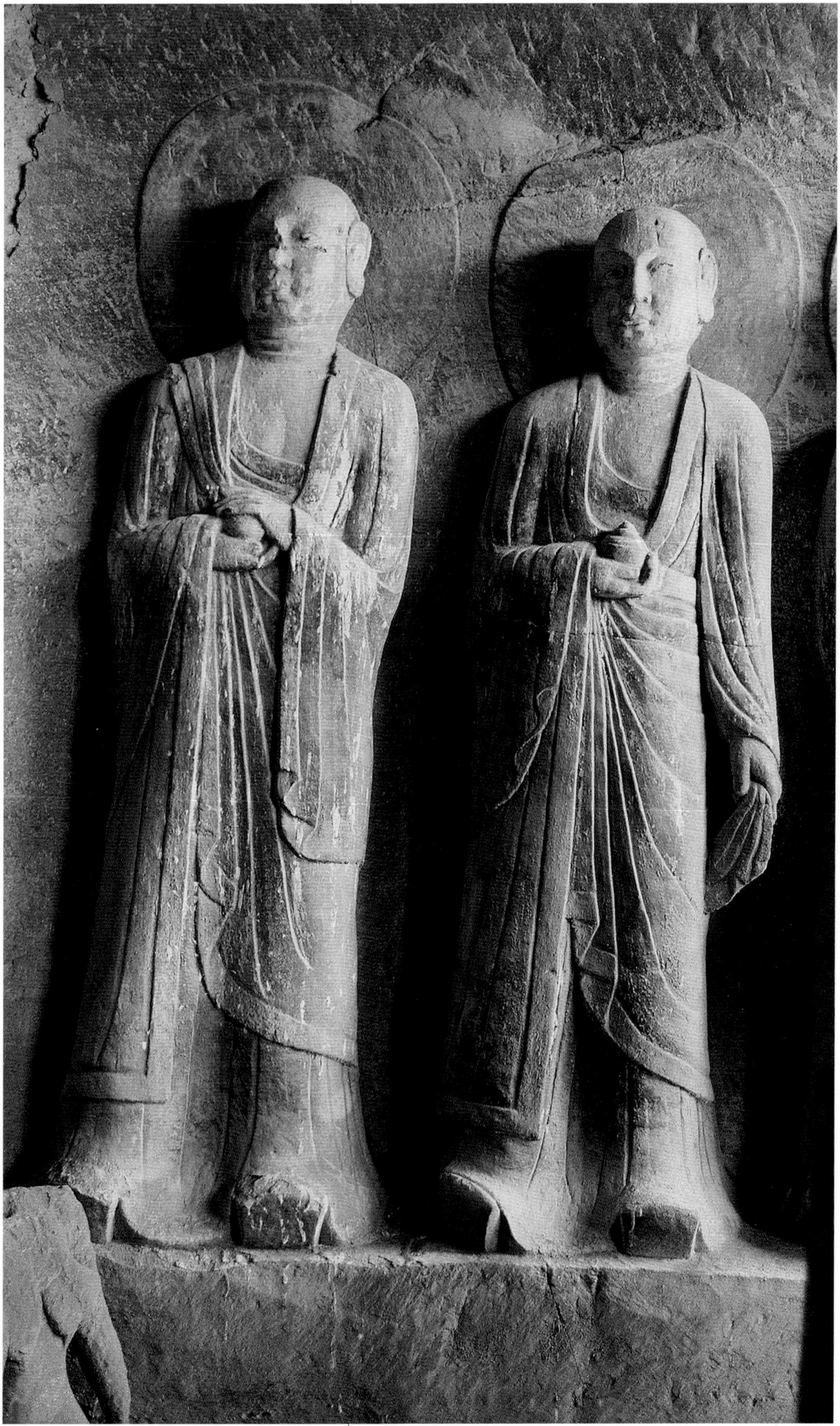

四川廣元千佛崖石窟（公元三八六年至公元九〇七年）

鼓樂圖

唐

位于四川廣元市千佛崖石窟第33號菩提瑞像窟左側壁。像高112-119厘米。

伎樂五人戴幞頭，四人着圓領窄袖袍，另一人爲胡人形象，着窄袖翻領長袍。五人分别演奏觱篥、排簫、横笛、方鼓和有把鼓。

彌勒佛

唐

位于四川廣元市千佛崖石窟第30號彌勒窟。

窟中央鑿方壇，壇上設像。主佛倚坐于束腰方座上，有圓形頭光，螺髮，着雙領下垂袈裟，二足踏蓮臺，右手作施無畏印，左手持珠。身後鏤空雕龍華雙樹大背屏，兩側爲二弟子二菩薩二力士，正中刻博山爐于蓮臺上。

力士

唐

位于四川廣元市千佛崖石窟第22號中心柱窟外右側龕門。

高157厘米。

力士戴束髮小冠，裸上身，戴項圈，下束裙，面相凶猛。

力士

唐

位于四川廣元市千佛崖石窟第30號彌勒窟。

高105厘米。

力士裸上身，下着牛鼻裙，左手上舉，右手持金剛杵。

坐佛

唐

位于四川廣元市千佛崖石窟第22號中心柱窟。高163厘米。

主佛螺髻，着通肩袈裟，結跏趺坐，手作轉法輪印，佛身側浮雕雙樹。佛兩側爲二菩薩二天王。

立佛

唐

位于四川廣元市千佛崖石窟第16號大雲洞。

高238厘米。

立佛肉髻低平，着通肩袈裟，立于仰覆蓮圓座上，右手殘失，左手作與願印。佛身後爲長圓形通身大背光，身光上浮雕菩提樹葉。

天王 供養人像

唐

位于四川廣元市千佛崖石窟第16號大雲洞後壁北大龕龕外。

天王高髮髻，着鎧甲，手持短杵。二供養人着菩薩裝，束髮髻。

坐佛

唐

位于四川廣元市千佛崖石窟第16號大雲洞韋抗窟。

中央坐佛螺髻，着雙領下垂袈裟，坐于束腰仰覆蓮圓座。弟子、菩薩均立于仰覆蓮圓座上，有圓形頭光。

彌勒佛

唐

位于四川廣元市千佛崖石窟第32號蘇頲龕。

彌勒佛倚坐于束腰方座上，肉髻高大光滑，着雙領下垂袈裟，雙足踏于蓮座上。兩側脅侍菩薩頭戴高寶冠，一舉拂塵提净瓶，一執楊枝。

天龍八部衆

唐

位于四川廣元市千佛崖石窟第46號阿彌陀窟後壁。

後壁立佛身光兩側浮雕雙樹，樹下浮雕人形化天龍八部衆。

天龍八部衆之一

天龍八部衆之二

坐佛

唐

位于四川廣元市千佛崖石窟第28龕。

龕内刻一佛二弟子二菩薩，龕口刻二力士。佛結跏趺坐于仰蓮座上，二供養菩薩對跪于佛座前。

菩薩

唐

位于四川廣元市千佛崖石窟第2號釋迦多寶窟主像左側。

高118厘米。

菩薩束髻戴冠，身繞帔帛，下束裙，衣紋綫凸起，雙手執一長莖蓮花。

地藏菩薩

唐

位于四川廣元市千佛崖石窟第2號釋迦多寶窟北壁下層。

地藏菩薩坐于束腰仰覆蓮圓座上，左舒相式，光頭，右手托珠。

坐佛

唐

位于四川廣元市千佛崖石窟第5號牟尼閣窟佛壇。窟中鑿長方形佛壇，壇上設像。主佛螺髮，着雙領下垂袈裟，結跏趺坐于生靈座上，底座上雕二龍和六象。坐佛兩側爲二弟子二菩薩二力士，上方有菩提樹和天龍八部衆。

涅槃變

唐

位于四川廣元市千佛崖石窟第4號睡佛窟北壁。圖中九人披風帽，或卧或坐，上方火焰熊熊，中爲棺具。

涅槃變

唐

位于四川廣元市千佛崖石窟第4號睡佛窟北壁。背景爲山川，女弟子束錐形高髻，着交領窄袖袍，作奔走相告狀。

坐佛

唐

位于四川廣元市千佛崖石窟第8號千佛窟。

高178厘米。

窟中央鑿長方形佛壇，壇上設像。主佛螺髻，着雙領下垂袈裟，左手作施無畏印，右手作降魔印。兩側有弟子、菩薩、力士侍立。像後鑿通頂大背屏，上雕菩提雙樹和天龍八部衆。

千佛

唐

位于四川廣元市千佛崖石窟第8號千佛窟。

此窟窟室四壁滿雕千佛，共計九百餘尊，均着通肩袈裟，手施禪定印。

皇澤寺石窟

位于四川廣元市西部馬龍山。始鑿于西魏，隋和初唐大規模興建，武則天曾爲該寺捐資，遂更名爲皇澤寺。現存窟龕五十個，其中大窟六個，石雕造像一千多身。

中心柱造像

西魏

位于四川廣元市皇澤寺石窟第45號中心柱窟。

樓閣式中心柱，四面均上下開龕，龕中雕一佛二菩薩三尊像。

坐佛

隋

位于四川廣元市皇澤寺石窟第37窟。

坐佛螺髻，着雙領下垂袈裟，結跏趺坐，右手平舉，左手置于膝上握寶珠。兩側爲佛弟子迦葉和阿難。像後浮雕菩提雙樹。

立佛

隋

位于四川廣元市皇澤寺石窟第51號龕。

主尊爲立佛，佛身旁立二弟子二菩薩。後壁浮雕菩提樹和天龍八部衆。

坐佛

唐

位于四川廣元市皇澤寺石窟第45號中心柱窟北壁。

高110厘米。

坐佛螺髻，雙領下垂袈裟，左手施降魔印，右手掌中置寶珠。身後爲通身大背光，圓形頭光，外緣飾翹角蓮瓣。佛兩側爲二弟子和二菩薩。

菩薩

唐

位于四川廣元市皇澤寺石窟第45號中心柱窟右側龕。

高95厘米。

菩薩圓形頭光，束髻，戴花冠，長髮披肩，袒上身，繞帔帛，右手執一蓮花。

飛天

唐

位于四川廣元市皇澤寺石窟第45號中心柱窟北壁龕楣。

飛天束攢天髻，上着短衫，腰束帶，長裙飄曳，帔帛繞雙臂及肩後，迎風上揚。雙腿前舉，彎身作飛翔狀。

坐佛

唐

位于四川廣元市皇澤寺石窟第38窟。

佛殘高110厘米。

佛螺髮，着雙領下垂袈裟。一手撫膝，一手置于膝上握寶珠。身後爲舟形通身大背光，圓形頭光，飾翹角蓮瓣。佛兩側立二菩薩。龕頂浮雕七佛和八飛天。

五尊像

唐

位于四川廣元市皇澤寺石窟第28號大佛窟。

窟高700、寬585、深359厘米。

穹隆頂窟，中雕一佛二弟子二菩薩五尊立像，窟門兩側雕二力士。後壁浮雕人形化天龍八部衆。

阿彌陀佛

唐

位于四川廣元市皇澤寺石窟第28號大佛窟。

高510厘米。

立佛螺髻，眉間有白毫，着雙領下垂袈裟，内衣結帶。左手掌中握摩尼寶珠，右手作施無畏印，赤足站于蓮臺上。圓形頭光，飾蓮瓣及忍冬紋，外爲桃形身光。

迦葉　觀世音菩薩

唐

位于四川廣元市皇澤寺石窟第28號大佛窟主佛左側。

迦葉着袒右袈裟，左手執香爐；觀世音菩薩戴化佛寶冠，挂長瓔珞，右手下垂提净瓶。

阿難 大勢至菩薩

唐

位于四川廣元市皇澤寺石窟第28號大佛窟主佛右側。

阿難着雙領下垂袈裟，左手置腹前捻串珠；大勢至菩薩戴寶珠寶冠，挂瓔珞，左手執寶珠，右手上舉。

天龍八部衆之一

唐

位于四川廣元市皇澤寺石窟第28號大佛窟後壁。

圖中三面六臂舉日月者爲阿修羅，虬髯、戴獸首冠者爲摩睺羅伽。

天龍八部衆之二

唐

位于四川廣元市皇澤寺石窟第28號大佛窟後壁。

圖中戴三珠冠，頭側一龍者爲龍衆；戴三珠冠，鳥喙形嘴者爲迦樓羅。

巴中石窟

位于四川巴中市。始鑿于隋，盛于盛唐時期，包括北龕、西龕、南龕和水寧寺四處摩崖造像。北龕現存窟龕二十四個，造像三百餘身；西龕現存窟龕五十九個，造像一千九百餘身；南龕現存窟龕一百三十三個，造像二千一百餘身；水寧寺現存窟龕三十八個，造像三百餘身。

立佛

隋

位于四川巴中市北龕摩崖第1窟。

佛有桃形頭光，高肉髻，身着圓領通肩袈裟，立于蓮臺上。兩側菩薩皆有桃形頭光。

立佛

隋

位于四川巴中市北龕摩崖第2窟。

佛舟形背光，肉髻，着雙領下垂式袈裟，右手執錫杖，立于蓮臺上。兩側爲二脅侍菩薩。

飛天

唐

位于四川巴中市北龕摩崖第7窟窟頂。

飛天于祥雲之上相向而舞，帔帛飄揚，袒上身，戴項圈、手鐲。

供養人

唐

位于四川巴中市北龕摩崖第7窟左壁。

左側供養人戴幞頭，着圓領窄袖長袍，胡跪；右側供養人束髻，肩似背一物。

力士

隋

位于四川巴中市西龕摩崖第16窟左壁。

殘高92厘米。

力士頭已殘。袒上身，挂長瓔珞交于胸前環形飾上，下束裙，赤足而立。

樓閣

唐

位于四川巴中市西龕摩崖第35窟左側。

此樓閣爲西方净土變中的天宫樓閣。下層閣上刻二伎樂天，身繞帔帛，袒上身，一吹簫，一彈琵琶；另有一胡跪供養天。上層爲雙層轉角斗栱建築，有一天人憑欄倚坐。

菩薩 天龍八部衆

唐

位于四川巴中市西龕摩崖第5窟左側壁。

菩薩桃形頭光，身挂瓔珞，身後雕天龍八部衆。

菩薩 弟子

唐

位于四川巴中市西龕摩崖第10窟左側壁。

弟子圓形頭光，雙手合十，着袒右袈裟，立于蓮臺上；菩薩桃形頭光，身繞帔帛，下束裙，赤足立于蓮臺上。

觀世音菩薩

唐

位于四川巴中市南龕摩崖第60號龕。

菩薩戴寶冠，細眉大眼，身繞帔帛，挂瓔珞，立于蓮臺上。此龕與相鄰的第61號龕爲一組雙龕。

地藏菩薩

唐

位于四川巴中市南龕摩崖第61號龕。

地藏菩薩眉間有白毫，弟子相，着雙領下垂式袈裟，左手握摩尼寶珠，立于蓮臺上。

地藏菩薩

唐

位于四川巴中市南龕摩崖第25窟。

地藏菩薩着雙領下垂袈裟，光頭，圓形頭光，頂懸寶蓋。左手置于膝上持寶珠，右手殘。地藏菩薩身後兩側雕六道輪迴圖。

西方净土變

唐

位于四川巴中市南龕摩崖第62窟。

主尊阿彌陀佛結跏趺坐于束腰仰覆蓮瓣臺上，着通肩袈裟，雙手齊舉作轉輪印。左側壁雕觀世音菩薩，右側壁雕大勢至菩薩。兩側壁滿雕坐于蓮座上的菩薩，左壁二十四身，右壁二十七身。龕口外鑿二力士。

菩薩

唐

位于四川巴中市南龕摩崖第62窟右側壁。

中心爲大勢至菩薩，坐于仰蓮圓座上，其餘菩薩坐于有梗蓮座上。

如意輪觀音（上圖）

唐

位于四川巴中市南龕摩崖第16號龕。

菩薩束髮，髮髻上有化佛，游戲坐于仰蓮圓座上。六臂。左上臂手舉如意輪，中臂手捻指，下臂手按座；右上臂作思惟狀，中臂外舉數珠，下臂手持寶珠。兩側立天王，左天王托塔，右天王持劍。

鬼子母

唐

位于四川巴中市南龕摩崖第68窟。

鬼子母束髻，上着短袖衫，下着長襦裙，盤坐，懷中抱一嬰孩，兩側各有孩童四人，皆戴項圈，光頭。

坐佛

唐

位于四川巴中市南龕摩崖第70窟。

龕内刻一佛二弟子二菩薩二天王，龕口刻二力士。佛結跏趺坐于蓮座上。

毗盧遮那佛

唐

位于四川巴中市南龕摩崖第103窟。

窟高500、像高445厘米。

佛戴高冠，身飾項圈、臂釧和手鐲，手施降魔印。

雙頭瑞像

唐

位于四川巴中市南龕摩崖第83號龕。

圖中主尊佛雙頭共一身，螺髻，手施降魔印，結跏趺坐于束腰覆蓮座上。兩側各侍立一佛。

觀世音菩薩

唐

位于四川巴中市南龕摩崖第86窟。

高159厘米。

菩薩戴寶冠，身繞帔帛，挂瓔珞，下束裙，赤足立于蓮臺上；左右兩側各刻一立侍菩薩、一力士。

觀世音菩薩

唐

位于四川巴中市南龕摩崖第87號龕。

菩薩戴化佛寶冠，身挂瓔珞，繞帔帛，左手執楊枝，右手握净瓶。

飛天

唐

位于四川巴中市南龕摩崖第78號阿彌陀净土變外龕右側。

飛天位于流雲之上，束高髻，戴項圈，袒上身，帔帛上揚，手托博山爐，作俯衝飛翔狀。

阿彌陀佛

唐

位于四川巴中市南龕摩崖第105窟正壁。
佛結跏趺坐于蓮座上，右手作施無畏印。

觀世音菩薩 弟子

唐

位于四川巴中市南龕摩崖第105窟右壁。

觀世音菩薩右手提净瓶，左手舉楊枝；弟子雙手置于腹前。

西方净土變

唐

位于四川巴中市南龕摩崖第116窟。

主尊阿彌陀佛圓形頭光，螺髮，着通肩袈裟，結跏趺坐于蓮座上。兩側刻聞法菩薩，皆坐于長莖蓮上。

舍利塔

唐

位于四川巴中市南龕摩崖第89號龕。

佛塔通高293厘米。

塔爲樓閣式，塔基有承塔力士，塔身雕捲草紋、龜紋、蓮花、垂幔等紋飾和天王、力士等形象。第七級爲漢式建築，屋頂上置方臺、相輪，兩側各有一飛天。

天王

唐

位于四川巴中市南龕摩崖第116窟右側。

天王立像高137、肩寬35厘米。

天王左手托塔，右手叉腰，脚穿草鞋，雙脚踏地鬼。

毗沙門天王

唐

位于四川巴中市南龕摩崖第65號龕。

天王着盔穿甲，左手托塔，右手拄劍，足下踏地鬼。造像有乾符四年（公元877年）題記。

藥師佛

唐

位于四川巴中市水寧寺摩崖第1窟。

藥師佛高肉髻，内着僧祇支，外披雙領下垂式袈裟，左手托鉢，右手執錫杖，赤足而立。兩側脅侍菩薩桃形頭光，戴高寶冠，長瓔珞蔽體，身繞帔帛。

力士

唐

位于四川巴中市水寧寺摩崖第1窟。

像高110厘米。

力士立于山岩座上，束高髻，袒上身，下着牛鼻裙，左手下壓，右手上舉。

天王

唐

位于四川巴中市水寧寺摩崖第2號釋迦説法龕右側。

像高73厘米。

天王頭戴兜鍪，鎖眉瞪目，身着明光鎧，左手握劍，拄劍而立。

坐佛

唐

位于四川巴中市水寧寺摩崖第2窟。

窟高220、寬185、深146厘米。

龕内佛結跏趺坐于蓮座上，桃形頭光，高肉髻，螺髮，作説法狀。旁爲二菩薩、二弟子、二天王，上方有二飛天。龕楣飾忍冬捲草紋，龕口兩側有二力士。

菩薩　阿難

唐

位于四川巴中市水寧寺摩崖第2窟右壁。

菩薩頭戴花鬘冠，身披帛，飾瓔珞寶珠，左手持瓶；阿難身披袈裟，袖手而立。

迦葉

唐

位于四川巴中市水寧寺摩崖第2窟左壁。

迦葉身披袈裟，雙手合十。

飛天

唐

位于四川巴中市水寧寺摩崖第2窟正壁窟頂。

飛天翔于雲端，飄帶飛揚。

釋迦彌勒説法

唐

位于四川巴中市水寧寺摩崖第3窟。

龕内釋迦佛和彌勒佛并坐。釋迦佛波狀髮，着通肩袈裟，結跏趺坐于蓮座上；彌勒佛螺髮，着雙領下垂式袈裟，倚坐，兩側爲二菩薩、十弟子。龕楣上雕忍冬、蓮花、金翅鳥和獸面等紋樣。

菩薩 弟子 力士

唐

位于四川巴中市水寧寺摩崖第3窟右壁。脅侍菩薩桃形頭光，戴寶冠、項圈，身繞帔帛，右手提净瓶。弟子皆圓形頭光，身着袈裟，執如意者爲阿難。龕口爲一力士，袒上身，形象威猛。

釋迦説法

唐

位于四川巴中市水寧寺摩崖第8窟。

窟内釋迦佛高肉髻，螺髮，結跏趺坐，座下兩側有二供養天，座下前方有一蹲獅。坐佛兩側壁爲菩薩、弟子和天龍八部衆。龕口有二力士。

天王 力士

唐

位于四川巴中市水寧寺摩崖第8窟左側壁。

天王左手握劍鞘，右手抽劍，其上爲夜叉；力士左手張開，右手握拳，其上爲龍王。

力士

唐

位于四川巴中市水寧寺摩崖第8窟窟口右側。

力士束髻，圓形頭光，袒上身，下束戰裙，左手下按，右手上舉攥拳，面相威猛。

菩薩
唐

位于四川巴中市水寧寺摩崖第8窟右壁。
菩薩立于仰蓮圓座上，身飾瓔珞。

供養菩薩

唐

位于四川巴中市水寧寺摩崖第8窟佛座左側下方。

菩薩面相方圓，戴項圈，單腿跪于仰蓮瓣圓臺上，左手執一高足盤，盤上置供養物，右手作揭蓋狀。

卧龍山千佛岩摩崖

位于四川梓潼縣卧龍鎮五一村。開鑿于初唐。現存大窟三個和小龕四十餘個，石雕造像一千一百三十八身。

彌勒佛

唐

位于四川梓潼縣卧龍山千佛岩摩崖第1窟。

龕内主尊彌勒佛倚坐于方座上，佛右側刻二弟子一菩薩和一力士，左側刻一弟子、一菩薩、一道士和一力士。

菩薩

唐

位于四川梓潼縣卧龍山千佛岩摩崖第1窟左壁。

菩薩像高160厘米。菩薩頭光内雕波狀忍冬紋，戴寶冠，寶繒下垂，耳垂圓璫，頸刻三道紋，戴項圈，斜披絡腋，瓔珞蔽體，赤足立于蓮臺上。

菩薩

唐

位于四川梓潼縣卧龍山千佛岩摩崖第1窟右壁。

像高160厘米。

菩薩面相豐滿，略帶笑意，挂長瓔珞交于腹前花形飾上，右手執一蓮花，旁爲弟子和天龍八部。

釋迦説法

唐

位于四川梓潼縣卧龍山千佛岩摩崖第2窟。

主尊釋迦佛螺髮肉髻，着雙領下垂式袈裟，結跏趺坐于蓮座上；兩側爲弟子、菩薩、道者和力士等。

天龍八部

唐

位于四川梓潼縣卧龍山千佛岩摩崖第2窟北壁。

此二像爲天龍八部之二身，爲佛之護法，戴寶冠，冠後之獸已漫漶不清，肩上有獸足。

鶴鳴山石窟

位于四川劍閣縣東部。開鑿于唐代後期，爲一處道教石窟。現存窟龕十八個，石雕造像七十五身。

神將

唐

位于四川劍閣縣鶴鳴山石窟第1龕外室左壁。

六神將面圓，一披髮，一戴無纓幘，一戴尖纓冑幘，餘三者戴束髮芙蓉冠。最下層神將踏地鬼。此爲十二時神中六神將。

神將

唐

位于四川劍閣縣鶴鳴山石窟第1龕外室右壁。

最下層神將踏地鬼。此爲十二時神中六神將。

長生保命天尊

唐

位于四川劍閣縣鶴鳴山石窟第2窟。高212厘米。天尊髮上綰成髻，戴蓮花冠，頭光內有“五斗星圖”。着交領衫，下穿裙，外罩黄帔。左手作手印，右手握混元珠。

天尊

唐

位于四川劍閣縣鶴鳴山石窟第3龕。

高192厘米。

天尊束高髻，戴蓮花冠，頭光内有“五斗星圖”。

神將

唐

位于四川劍閣縣鶴鳴山石窟第4龕外室左壁。

神將中有二人戴盔，四人束髻，皆身着甲衣，前方二人有一人手持劍，一人手持梅花針，足下踏二小鬼。此爲十二時神中六神將。

神將

唐

位于四川劍閣縣鶴鳴山石窟第4龕外室右壁。

神將中後方一人長髮蓬鬆，另五人束髻，肩繞披巾，着甲衣。旁立一道士，雙手捧戒尺，着交領寬袖大袍。此爲十二時神中六神將。

安岳石窟

位于四川安岳縣。開鑿于唐代，北宋、南宋亦有大規模開鑿。包括卧佛院、千佛寨、圓覺洞、毗盧洞和華嚴洞等幾處摩崖造像。卧佛院現存窟龕一百三十九個，造像一千六百餘身；千佛寨現存窟龕一百零五個，造像三千餘身；圓覺洞現存窟龕一百零三個，造像近二千身；毗盧洞現存窟龕二十個，造像四百六十五身；華嚴洞現存大窟二個，造像一百五十九身。

涅槃變

唐

位于四川安岳縣卧佛院摩崖第3窟。

卧佛身長2300厘米。

窟上方爲釋迦臨終説法，下方爲釋迦涅槃像，因山勢走向原因，佛纍足左脅卧。

菩薩

唐

位于四川安岳縣卧佛院摩崖第3窟卧佛上方左側。

像高200厘米。

菩薩頭戴花鬘冠，耳佩圓璫，面相豐滿，胸挂瓔珞，身繞帔帛，左手托鉢，右手執柳枝。

弟子

唐

位于四川安岳縣卧佛院摩崖第3窟。

佛弟子在佛涅槃後呈哀痛狀。

力士

唐

位于四川安岳縣卧佛院摩崖第3窟卧佛足處。

高300厘米。

力士束髻，袒上身，肌肉發達，下束戰裙，赤足而立，作悲痛狀。

千手觀音菩薩

唐

位于四川安岳縣卧佛院摩崖第45龕。

高135厘米。

千手觀音爲密宗造像，雙重圓形頭光，十一面、千手，戴項圈，袒上身，繞帔帛。有二手上舉鈴和輪；二手合十于胸前；右下一手作降魔印，下方有一鬼，左下一手施錢給窮人。

飛天

唐

位于四川安岳縣卧佛院摩崖第59窟正壁上方左邊。

飛天雙手托物，帔帛飄揚，周圍烘托以流雲。下方爲石刻經文。

飛天

唐

位于四川安岳縣卧佛院摩崖第59窟右壁上方左邊。

飛天束高髻，袒上身，下束裙，帔帛後揚，左手托盤，右手作散花狀。

立佛

唐

位于四川安岳縣卧佛院摩崖第64龕。

高360厘米。

佛桃形頭光，螺髮，外披雙領下垂式袈裟，左手拾右領襟，右手作接引印，赤足立于蓮座上。

浮雕經幢

五代十國
位于四川安岳縣卧佛院摩崖第52龕。
高150厘米。

經幢下有四金剛抬舉，底座雕麒麟、蓮花，上方有四天王倚坐和四坐佛，經幢上方雕傘蓋、塔刹和風鈴等飾物，旁有廣政二十四年（公元961年）的題記。

坐佛

唐

位于四川安岳縣千佛寨摩崖第50龕。高180厘米。

佛倚坐，上方有華蓋寶樹，桃形頭光，高肉髻，螺髮，内着僧祇支，外披袈裟，右手作施無畏印。兩側有二弟子和二菩薩及聽法的天人。

力士

唐

位于四川安岳縣千佛寨摩崖第50、51龕龕口。

二力士皆赤裸上身，下着裙。

弟子 菩薩 天龍八部衆

唐

位于四川安岳縣千佛寨摩崖第51龕左壁。

該龕主尊爲釋迦説法，旁邊弟子圓形頭光，身披袈裟，雙手合十；菩薩戴花冠，繞帔帛，挂瓔珞。上方爲舉日月、規矩的阿修羅等天龍八部衆四像。龕口有一力士。

菩薩

唐

位于四川安岳縣千佛寨摩崖第56窟右壁。

像高320厘米。

菩薩桃形頭光，戴花冠，寶繒下垂，長髮披肩，挂瓔珞，披雲肩。

菩薩

唐

位于四川安岳縣千佛寨摩崖第96窟右側。

菩薩圓形頭光，頭戴花鬘冠，長髮披肩，除一着通肩袈裟，其餘皆身繞帔帛，挂長瓔珞，赤足立于蓮臺上。

西方三聖

北宋

位于四川安岳縣千佛寨摩崖第24窟。

佛高480厘米。

主尊佛爲阿彌陀佛，螺髮，内着僧祇支，外披“U”字領袈裟。兩側爲脅侍大勢至和觀世音二菩薩，皆頭戴冠，胸挂瓔珞，繞帔帛，下束羊腸裙，手執蓮花或寶珠。

道教護法神將

唐

位于四川安岳縣玄妙觀第62龕。

高180厘米。

二護法頭束髻，繒帶上揚，身披甲，繞帔帛，手執劍、戟，足下踏小鬼。

明王

五代十國

位于四川安岳縣圓覺洞摩崖第13龕。

龕下層正中刻明王，三頭六臂，正中二手交臂，左右上手持劍，右下手持戟叉，左下手持鐧。各臂上有蛇纏繞。左右側各刻七部衆。龕上層刻三尊坐佛。

净瓶觀音菩薩

北宋
位于四川安岳縣圓覺洞摩崖第7窟。
高620厘米。

菩薩戴化佛寶冠，寶繒下垂，長髮披肩，眉間有白毫，臉呈老相，胸挂瓔珞，左手提净瓶，右手執楊枝，赤足立于蓮臺上。左右壁下方刻供養人。

善財

北宋

位于四川安岳縣圓覺洞摩崖第7窟右壁中層。

像高150厘米。

善財爲觀音菩薩之侍從，一般爲童子形象。圖中善財爲老者形象，胡跪于彩雲之上，雙手合十作禮拜狀。

飛天

北宋

位于四川安岳縣圓覺洞摩崖第7窟左壁上方。

飛天作俯衝飛翔狀，帔帛上揚，雙手托須彌盆，下襯流雲。

立佛

北宋
位于四川安岳縣圓覺洞摩崖第10窟。
高540厘米。

佛高肉髻、螺髮，着雙領下垂式袈裟，右手作説法狀，拇指與食指間夾一畢波羅花果，左手仰掌置胸腹間，作微笑狀。

蓮花手觀音菩薩

北宋

位于四川安岳縣圓覺洞摩崖第14窟。

高550厘米。

菩薩戴化佛高花冠，瓔珞繁麗蔽體，身着寬袖大衣，下束羊腸裙，雙手執一長莖蓮花，赤足立于蓮座上。身後有桃形火焰背光。

供養人

北宋

位于四川安岳縣圓覺洞摩崖第14窟右壁下方。

男像高180厘米，女像高170厘米。

男供養人戴桶巾，着圓領窄袖長袍，雙手捧一長柄香爐；女供養人束髻，着對襟長袍，雙手捧一長紳帶。

柳本尊十煉圖

北宋

位于四川安岳縣毗盧洞摩崖第8窟。

前部中央雕毗盧遮那佛，後部左右兩側上下層刻柳本尊十煉圖。柳本尊爲唐末五代時人，爲四川密宗瑜伽派的祖師，對四川東部地區密宗的發展影響極大。

毗盧遮那佛

北宋

位于四川安岳縣毗盧洞摩崖第8窟。

高300厘米。

窟正中坐佛爲密教主尊毗盧遮那佛，頭戴寶冠，螺髮，耳垂璫，手作内縛印，結跏趺坐于蓮座上，下有二力士抬座。

柳本尊煉指

北宋

位于四川安岳縣毗盧洞摩崖第8窟。

高168厘米。

柳本尊結跏趺坐，頭戴方巾，着交領寬袖長袍，左手食指上燃一火焰。此爲柳本尊以指供養諸佛，以救衆生之事迹。下有題刻。

柳本尊禪修

北宋

位于四川安岳縣毗盧洞摩崖第8窟。

高155厘米。

柳本尊披髮，結跏趺坐，手作禪定印。此表現柳本尊在峨嵋雪山頂禪定修行之事迹。

柳本尊煉陰

北宋

位于四川安岳縣毗盧洞摩崖第8窟。

高140厘米。

柳本尊斜靠，襠中升一火焰。此表現柳本尊爲示絶欲而煉陰，感動天神降七寶蓋之事。

文吏

北宋

位于四川安岳縣毗盧洞摩崖第8窟。

高120厘米。

官吏頭戴平脚幞頭，身穿圓領袍，雙手持笏。

官吏

北宋

位于四川安岳縣毗盧洞摩崖第8龕。

高140厘米。

此人爲詐稱要以眼珠爲藥向柳本尊索要眼珠的漢州刺史趙君。頭戴展脚幞頭，身着圓領寬袖官袍，雙手執香爐。

吏目

北宋

位于四川安岳縣毗盧洞摩崖第8龕。

高260厘米。

吏目頭包蓮花軟巾，張嘴怒目，着圓領窄袖長袍，下穿靴。

護法天王

北宋

位于四川安岳縣毗盧洞摩崖第8窟。

高280厘米。

天王戴虎頭盔，身着甲，繞披巾，手握劍，形象威猛。

捧斷臂女

北宋

位于四川安岳縣毗盧洞摩崖第8窟。

高160厘米。

侍女着交領窄袖長袍，雙手托盤，上置柳本尊之斷臂。

女供養人

北宋

位于四川安岳縣毗盧洞摩崖第8窟。

女供養人頭戴花冠，着交領大袖衫，雙手合十。

割髮女

北宋

位于四川安岳縣毗盧洞摩崖第8窟。

高155厘米。

割髮女束髻戴冠，臉呈方圓形，着窄袖交領長袍，以刀割髮。此表現柳本尊在成都玉津坊盧氏宅設道場時，盧氏女削髮歸教之事。

水月觀音菩薩

北宋

位于四川安岳縣毗盧洞摩崖第19窟。

高280厘米。

菩薩游戲坐于普陀山南海邊岩石上，頭戴化佛寶冠，寶繒下垂，長髮披肩，斜披絡腋，挂長瓔珞，下束裙，神態嫻静，右手旁有一净瓶，背景有紫竹。左右兩側雕“觀音救八難”像。

華嚴三聖

北宋

位于四川安岳縣華嚴洞正壁。

正中坐佛爲毗盧遮那佛，圓形火焰頭光，頭戴寶冠，冠內有柳本尊坐像。佛螺髮，着雙領下垂式袈裟，手作內縛印。其左側爲普賢菩薩，游戲坐于蓮座上，下有一白象，左手托一物，胸挂瓔珞。右側爲文殊菩薩，座下有青獅，手執如意。

菩薩 道徒

北宋

位于四川安岳縣華嚴洞左壁。

高壇上刻五菩薩，分别是金剛藏菩薩、清净慧菩薩、辯音菩薩、普覺菩薩、賢善首菩薩，壇下刻一站立道徒。

菩薩 比丘

北宋

位于四川安岳縣華嚴洞右壁。

高壇上刻五菩薩像，分别是普眼菩薩、彌勒菩薩、威德自在菩薩、净諸業障菩薩和圓覺菩薩，壇下刻一站立比丘。

辯音菩薩

北宋

位于四川安岳縣華嚴洞左壁。

高240厘米。

菩薩戴化佛寶冠，衣領籠于頭頂之上，衣襟邊飾蓮花，雙手籠于袖内。

威德自在菩薩

北宋

位于四川安岳縣華嚴洞右壁。

高240厘米。

菩薩圓形頭光，兩側有日月，戴化佛寶冠，胸挂瓔珞，結跏趺坐。

圓覺菩薩

北宋

位于四川安岳縣華嚴洞右壁。

高240厘米。

菩薩頭戴化佛寶冠，胸挂瓔珞，左手握寶座扶手頭，右手托摩尼寶珠。

比丘

北宋

位于四川安岳縣華嚴洞右壁。

像高290厘米。

比丘圓形頭光，着交領袈裟，右手當胸施蓮華祈禱印，左手執經卷，上有“那略”二字。

道徒

北宋

位于四川安岳縣華嚴洞左壁。

道徒束髻，鳳眼小嘴，着寬袖對襟長袍，左手執一書，上有“合論”二字。

善財五十三參圖（一）（上圖）

北宋

位于四川安岳縣華嚴洞右壁上方。

毗盧遮那佛結跏趺坐于重檐殿内，頭戴寶冠，兩膝出二毫光。殿前兩側爲文殊、普賢二菩薩，右側上方爲護法天神群像。

善財五十三參圖（二）

北宋

位于四川安岳縣華嚴洞左壁上方。

右側善財童子立于彩雲上，光頭，繞帔帛，雙手合十向左側阿彌陀佛禮拜。中間爲三層天宫樓閣，歇山頂。

諸天 羅漢（上圖）

北宋

位于四川安岳縣大般若洞右壁。

諸天高70厘米，羅漢高65厘米。

下層爲羅漢，共九尊，或禪定，或小憩，或對弈，姿態各异。上方爲十二諸天，或着甲，或着寬袖長袍，或戴盔，或戴冠。

護法神

北宋

位于四川安岳縣茗山寺第12龕。

像通高180厘米。

護法神深目大嘴，身披鎧甲，手舉牌、刀、蛇等物，形象威猛。

藥師佛

南宋

位于四川安岳縣净慧岩摩崖第12龕。

高150厘米。

藥師佛結跏趺坐，桃形頭光，螺髮。左側爲其弟子，手執錫杖；右側爲一菩薩，手托鉢。

居士

南宋

位于四川安岳縣净慧岩摩崖第6龕。

高200厘米。

居士身披袈裟，雙手拄杖，着履。旁有題記“紹興辛未年春月倚岩居士趙慶升立石謹記”。紹興辛未年爲公元1151年。

數珠手觀音菩薩

南宋

位于四川安岳縣净慧岩摩崖第15龕。

高120厘米。

觀音頭戴綴珠花冠，髮辮披肩，上披雲肩，下着長裙。雙手于腹前交叠，右手持一串數珠。

天王

南宋

位于四川安岳縣高升大佛岩摩崖第1窟窟口右側。

高300厘米。

天王戴兜鍪，上有坐佛，竪眉圓眼，身披戰甲，繞帔帛。

飛仙閣摩崖

位于四川蒲江縣朝陽湖鎮飛仙閣村。始鑿于初唐，興于盛唐，五代十國時期續有開鑿。現存窟龕九十二個，石雕造像七百七十餘身。

菩提瑞像

唐

位于四川蒲江縣飛仙閣摩崖第60龕。

主尊頭戴化佛寶冠，面相方圓，大耳，身着袒右袈裟，結跏趺坐；兩側爲弟子、菩薩。

菩提瑞像

唐

位于四川蒲江縣飛仙閣摩崖第9龕。

主尊戴高平頭花冠，露出細螺髮，戴項圈，着袒右偏衫袈裟，結跏趺坐，蓮花座束腰處開壼門，内雕供養天人。兩側爲二弟子和二菩薩。

觀世音菩薩

唐

位于四川蒲江縣飛仙閣摩崖第9龕左壁。

高140厘米。

菩薩桃形頭光，戴花鬘冠，冠中有化佛，長髮披肩，戴項圈、臂釧、瓔珞，倚坐。

天王

唐

位于四川蒲江縣飛仙閣摩崖第9龕右壁。

高125厘米。

天王高鼻深目，鬈髮，絡腮髯鬚，呈胡人相。左手已殘，舉置肩，右手下垂。

立佛

唐

位于四川蒲江縣飛仙閣摩崖第67龕。

佛螺髻，着雙領下垂袈裟，雙手殘。佛兩旁侍立弟子和菩薩。

三菩薩

五代十國

位于四川蒲江縣飛仙閣摩崖第37窟左側。

菩薩戴寶冠，束髮髻，身挂瓔珞，繞帔帛，立于蓮臺上。一菩薩雙手合十，另二菩薩舉右手，左手下垂持物。

看燈山摩崖

位于四川蒲江縣朝陽鄉尖峰村。開鑿于唐代晚期。現存窟龕十三個，石雕造像二百八十五身。

力士

唐

位于四川蒲江縣看燈山摩崖大佛窟右側。

高310厘米。

力士瞪目張嘴，袒上身，戴項圈，身上帔帛和下裙飛揚，作憤怒欲擊狀。

石笋山摩崖

位于四川邛崃市大同鄉。開鑿于唐代中期。現存窟龕二十三個，石雕造像七百三十九身。

樓閣

唐

位于四川邛崃市石笋山摩崖第4龕右側壁。

刻多座樓閣形龕，龕中坐佛或結跏趺坐，或倚坐，多數龕中佛兩側刻弟子和菩薩。

坐佛

唐

位于四川邛崍市石笋山摩崖第32龕。

龕高420厘米。

佛螺髮，面相豐滿，頸刻蠶節紋，内着僧祇支，外披雙領下垂式袈裟，結跏趺坐，手作禪定印。左側爲普賢菩薩，騎六牙象；右側爲文殊菩薩，騎獅。

力士

唐

位于四川邛崍市石笋山摩崖第32龕。

高120厘米。

力士袒上身，繞帔帛，戴項圈，下束戰裙，左手執三鈷金剛杵，赤足而立。

力士

唐

位于四川邛崍市石笋山摩崖第32龕。

力士面呈憤怒相，頭戴束髮三珠冠，裸上身，右手上舉執單股金剛杵。

毗沙門天王

唐

位于四川邛崃市石笋山摩崖第33龕。

龕高390厘米。

毗沙門天王戴冠着甲，右手叉腰，左手托塔，足下踏二小鬼。

石碓窩摩崖

位于四川眉山市鄭軍鄉朝陽村。開鑿于唐代。現存窟龕六十餘個，石雕造像一千餘身，多嚴重殘壞。

阿彌陀佛

唐

位于四川眉山市石碓窩摩崖第4龕。

佛坐高540厘米。

阿彌陀佛螺髮，高鼻大耳，兩眼平視，頸刻三道紋。

鄭山摩崖

位于四川丹棱縣中降鄉黄金村。開鑿于唐代。現存像龕七十五個，石雕造像七百餘身。

千手觀音菩薩

唐

位于四川丹棱縣鄭山摩崖第64龕。

高100厘米。

菩薩結跏趺坐于蓮座上，上有傘蓋，圓形頭光，戴項圈、瓔珞，斜披絡腋，胸前有二手合十，腹前有二手作禪定印，其餘各手執各種法器。

劉嘴摩崖

位于四川丹棱縣中隆鄉塗山村。開鑿于唐代。現存八十四龕，石雕造像二千三百九十三身。

千手觀音變相

唐

位于四川丹棱縣劉嘴摩崖第45龕千手觀音龕左壁。雲朵内有坐佛、騎象和騎牛的菩薩、身着鎧甲的天王和袒上身竪髮的力士等形象，左下側爲如意輪觀音。

牛角寨摩崖

位于四川仁壽縣文宮鎮鷹頭村。開鑿于唐代，有佛教造像也有道教造像。現存窟龕一百零一個，石雕造像一千三百九十五身。

彌勒半身大佛

唐

位于四川仁壽縣牛角寨摩崖第30龕。
頭高630、頸高100、胸高485厘米。
大佛肉髻低平，螺髮，面相豐滿。

三清像

唐

位于四川仁壽縣牛角寨摩崖第53龕。

三清盤坐，桃形頭光，束髻，着道袍，旁爲真人、武將、金童、玉女等。窟右壁有唐天寶八年（公元749年）造像題記。

凌雲山摩崖

位于四川樂山市凌雲山栖鸞峰，又稱樂山大佛。開鑿于唐開元元年（公元713年），竣工于貞元十九年（公元803年），前後延續九十年。

彌勒佛

唐

位于四川樂山市凌雲山。

像通高7100、肩寬2800厘米。

大佛倚坐，螺髮，眉間有白毫，神情肅穆。

夾江千佛崖摩崖

位于四川夾江縣漹江鄉千佛村。開鑿于唐代。現存像龕一百五十三個，石雕造像二千五百餘身。

彌勒佛

唐

位于四川夾江縣千佛崖摩崖第135龕。

彌勒佛圓形頭光，倚坐于方座上；左右兩側刻脅侍菩薩。

毗沙門天王

唐

位于四川夾江縣千佛崖摩崖第136龕。

天王左手托塔，右手握劍柄，倚坐。下刻一地天雙手托舉天王。

重龍山摩崖

位于四川資中縣。始鑿于唐代中期，北宋續有開鑿。現存窟龕一百七十二個，石雕造像一千七百一十三身。

千手觀音菩薩

唐

位于四川資中縣重龍山摩崖第113龕。

高278厘米。

菩薩頭戴化佛寶冠，面相長圓，倚坐于方座上。身前四手，二手結印于腹前，另二手撫膝；身後千手或展撐，或執各種法器。

毗沙門天王

唐

位于四川資中縣重龍山摩崖第58龕。

天王左手托塔，踏于二地鬼手上，地鬼中間刻一地天。

天王左側刻一武士，右側刻一侍女立像。

東岩摩崖

位于四川資中縣重龍鎮羅漢洞村。開鑿于唐代後期。現存窟龕十餘個，石雕造像數百身。

立佛

北宋

位于四川資中縣東岩摩崖第2窟。

窟高720厘米。

立佛螺髮，面相豐圓，着袈裟，立于仰蓮臺上，呈俯視狀；佛左側刻弟子迦葉仰望佛。

翔龍山摩崖

位于四川内江市。開鑿于唐代，大佛雕于唐廣明元年（公元880年）。

彌勒佛

唐

位于四川内江市翔龍山摩崖。

高390厘米。

彌勒佛倚坐，高肉髻，螺髮，頭頂摩尼寶珠頂嚴，右手平舉，左手撫膝，雙足踏于蓮座上。

大足石窟

位于重慶大足縣。主要包括北山摩崖、寶頂山摩崖和南山、石篆山及石門山摩崖造像。北山摩崖開鑿于唐景福元年（公元892年），五代和兩宋都有續鑿。現存窟龕二百九十個，石雕造像近萬身。寶頂山摩崖爲名僧趙智鳳于南宋淳熙年間（公元1174-1189年）主持開鑿，歷經七十年完成。現存窟龕三十一個，石雕造像近萬身，内容主要表現密宗瑜伽部教義。

三世佛

唐

位于重慶大足縣北山石窟第51龕。

左側爲過去迦葉佛，螺髻，着通肩袈裟，結跏趺坐于蓮座上；中間爲現在釋迦佛，内着僧祇支，外披雙領下垂式袈裟，左手托鉢，旁爲阿難、迦葉二弟子；右側爲未來彌勒佛，倚坐。

毗沙門天王

唐

位于重慶大足縣北山石窟第5龕。

天王圓形火焰頭光，頭戴方形高盔，身着甲，繫腰帶，上挎一彎刀，雙足踏二夜叉。旁邊爲其隨從眷屬。

觀世音菩薩

唐

位于重慶大足縣北山石窟第10龕。

高179厘米。

菩薩頭戴化佛寶冠，長髮披肩，戴項圈，挂長瓔珞，下束裙，雙手執一長莖蓮花，赤足立于蓮臺上。

觀無量壽佛經變

唐

位于重慶大足縣北山石窟第245龕。

龕高385厘米。

龕正中刻螺髻金身的阿彌陀佛，左爲觀世音菩薩，右爲大勢至菩薩，皆寶冠僧衣。龕上部正壁及左右壁雕“西方極樂净土”像。

藥師净土變

五代十國

位于重慶大足縣北山石窟第279龕。

藥師佛倚坐，頭戴披風，身着袈裟，雙足踏二蓮花。佛左右有二弟子立像和日光、月光二脅侍菩薩，下方爲十二藥叉神將。右龕鑿經幢。龕右壁有後蜀廣政十八年（公元955年）題記。

千手觀音菩薩

五代十國

位于重慶大足縣北山石窟第273龕。

菩薩頭戴花冠，中有化佛，戴項圈，挂瓔珞，手持念珠、桃形飾、三叉戟、塔、瓶、鏡、鉢等物，倚坐，座兩側有一餓鬼、一窮人。

觀世音菩薩 地藏菩薩

五代十國

位于重慶大足縣北山石窟第253龕。

觀世音頭戴高寶冠，身繞帔帛，挂長瓔珞，左手提葫蘆。地藏菩薩光頭，戴項圈，披袈裟。左右壁各雕六雲朵，内爲十殿閻王和二司。

十三觀音變

北宋

位于重慶大足縣北山石窟第180窟。

正中菩薩游戲坐，戴高冠，袒右，身繞帔帛，旁爲二脅侍菩薩。兩側壁各有五尊觀音立像，裝束大致相同，手持法器不一，或執羂索，或提净瓶，或持寶印，頭頂上升祥雲或蓮花，上有菩薩結跏趺坐于蓮座上。

觀世音菩薩變相

北宋

位于重慶大足縣北山石窟第180窟左壁。

三尊菩薩爲寶籃觀音、寶印觀音和寶瓶觀音。

數珠手觀音菩薩

北宋

位于重慶大足縣北山石窟第180窟右壁。

高191厘米。

菩薩頭戴飾植物紋樣的高花冠，身着長裙，胸飾瓔珞珠串，雙手持數珠于胸腹間。

寶印觀音菩薩

北宋

位于重慶大足縣北山石窟第180窟左壁。

菩薩頭戴寶冠，身着敞胸天衣，面相豐圓。

此圖爲局部。

泗州僧伽

北宋

位于重慶大足縣北山石窟第177窟正壁。

泗州僧伽頭戴風帽，盤腿而坐，雙手拱置于三足憑几上，几腿飾獸頭，其左側後方一弟子手執錫杖。

志公和尚

北宋

位于重慶大足縣北山石窟第177窟左壁。

志公和尚頭戴風帽，身着袈裟，左手拄拐杖，上挂剪刀、拂塵等物。

僧人

北宋

位于重慶大足縣北山石窟第177窟左壁。

僧人光頭，頭微左側上揚，身着交領袈裟，左手于腹前扼右腕。

萬回和尚

北宋

位于重慶大足縣北山石窟第177窟右壁。

萬回和尚頭戴風帽，着圓領大袍，盤腿坐于椅上。

孔雀明王

北宋

位于重慶大足縣北山石窟第155窟。

坐像高118厘米。

孔雀明王圓形頭光，一頭四臂，戴冠，眉間有白毫，耳垂珠串，身挂瓔珞，繞帔帛，手執蓮花、吉祥果等物，結跏趺坐于蓮座上。騎下孔雀昂首展翅，尾開屏。

觀世音菩薩

南宋

位于重慶大足縣北山石窟第149窟。

正中主像爲如意輪觀音，左像爲寶瓶觀音，右像爲如意觀音。三像左側，刻一頭戴直角幞頭的供養人，右側刻一婦人。三像背光上側刻有四尊半身神將像。

諸天

南宋

位于重慶大足縣北山石窟第149龕右壁。

諸天或戴冠，或戴盔，或着寬袖長袍，或披戰甲，手或執兵器，或執笏，形態各异。

轉輪經藏

南宋

位于重慶大足縣北山石窟第136窟。

窟正中立“轉輪經藏”。正壁刻釋迦佛、弟子迦葉和阿難及觀世音和大勢至菩薩。右壁從内至外刻普賢菩薩、不空羂索觀音和數珠手觀音；左壁從内至外刻文殊菩薩、寶印觀音和白衣觀音。

轉輪藏龍柱

南宋

位于重慶大足縣北山石窟第136窟。

柱上所刻之龍頭下尾上，頭下刻祥雲，雲中立一女像。

女像頭戴冠，雙手拱揖，踏于雲朵上。

數珠手觀音菩薩

南宋

位于重慶大足縣北山石窟第136窟。

高191厘米。

菩薩圓形火焰頭光，戴花冠，寶繒飄然下垂，額上白毫出二道光，中有化佛。胸前與手臂皆挂長瓔珞，右手提念珠，左手扼右腕。

力士

南宋

位于重慶大足縣北山石窟第136窟左側。

高176厘米。

力士束髻戴冠，瞪目齜牙，戴項圈，袒上身，下束戰裙，手執兵器，形象猙獰。

不空羂索觀音菩薩

南宋

位于重慶大足縣北山石窟第136窟。

高237厘米。

菩薩頭戴花冠，額上有白毫，鳳眼小嘴，面相豐滿，胸挂瓔珞，裝飾華麗，身繞帔帛，六臂，有二手上舉日月，左右兩手執劍、鉞，前方兩手一托鉢，一執柳枝。兩側爲男女二侍者。

女侍者

南宋

位于重慶大足縣北山石窟第136窟日月觀音像右側。

高134厘米。

女侍者爲貴婦裝束，頭束巾幗，耳垂珠串，穿對襟長袍，雙手籠于袖内。

如意珠觀音菩薩

南宋

位于重慶大足縣北山石窟第136窟。

高222厘米。

如意珠觀音爲密宗胎藏界蓮花部之母。菩薩頭戴化佛寶冠，披風巾，胸和兩肘皆挂長瓔珞，雙手捧摩尼寶珠，珠上出毫光。

寶印觀音菩薩

南宋

位于重慶大足縣北山石窟第136窟。

高137厘米。

菩薩圓形頭光，戴花冠，長髮披肩，額上有白毫，胸挂瓔珞，内着僧衹支，外披雙領下垂寬袖長袍，下方飄帶飾花卉、珠串等圖案，右手執印于胸前。兩側爲侍者。

男侍者

南宋

位于重慶大足縣北山石窟第136窟寶印觀音菩薩左側。

高129厘米。

男侍者面相豐滿，頭戴冠，身着圓領寬袖長袍，雙手握經卷。

女侍者

南宋

位于重慶大足縣北山石窟第136窟寶印觀音菩薩右側。

高120厘米。

女侍者頭戴鳳釵，着圓領長袍，雙手握供養物。

普賢菩薩

南宋

位于重慶大足縣北山石窟第136窟。

高215厘米。

普賢菩薩圓形火焰頭光。戴花冠、項圈，身繞帔帛，右手執笏，結跏趺坐于六牙象背蓮花座上。下方爲一象奴，着圓領窄袖衫，手握繮繩，表情憨厚。

文殊菩薩

南宋

位于重慶大足縣北山石窟第136窟。

高219厘米。

文殊菩薩圓形火焰頭光，戴花冠，眉間有白毫，身繞帔帛，左手握經卷，坐于獅子背蓮花座上。獅子張嘴作吼狀，以示佛法之精進威猛。獅奴頭戴盔，身披甲，竪眉瞪目。

摩利支天

南宋

位于重慶大足縣北山石窟第130龕。

高132厘米。

摩利支天爲佛護法之一，三頭八臂，手執寶劍、箭、火輪、弓、盾等武器，戴花冠，身繞帔帛。兩側壁爲八大金剛。

金剛

南宋

位于重慶大足縣北山石窟第130龕右壁。

金剛皆作武士裝束。多頭多臂，上身赤裸，佩項圈，下着短裙，手腕和脚踝戴釧，手持諸般兵器，粗獷剽悍。

數珠手觀音菩薩

南宋

位于重慶大足縣北山石窟第125龕。

高100厘米。

菩薩頭戴花冠，長髮披肩，身上帔帛飄揚，右手執念珠，左手扼腕，赤足而立。

金剛

南宋

位于重慶大足縣北山石窟第133窟右壁。

左側金剛三頭六臂，手中持寶鏡、鐧、長戟、羂索和長劍等。右側金剛四臂，手中持鉢、刀、鉞和羂索。

金剛

南宋

位于重慶大足縣北山石窟第133窟左壁。

右側金剛頭戴雙翼盔，身披甲，繞帔帛，三頭六臂，手持火輪、寶鐸和長矛等；左側金剛四臂，手執斧、鞭和劍等。

護法

南宋

位于重慶大足縣寶頂石窟大佛灣第2龕。

高230厘米。

護法繒帶上揚，身着鎧甲，執刀、扇等法器，繞帔帛，赤足而立。

六道輪迴

南宋

位于重慶大足縣寶頂石窟大佛灣第3龕。

輪盤直徑270厘米。

無常鬼立于中間，口咬手鉗一巨大輪盤，輪中心爲一坐佛，胸腹中出六毫光，把輪分爲六部分，表現天、人、阿修羅、地獄、畜生和餓鬼六道。

華嚴三聖

南宋

位于重慶大足縣寶頂石窟大佛灣第5龕。

高700厘米。

正中爲毗盧遮那佛，肉髻低平，螺髮，身着雙領下垂式袈裟；兩側爲普賢、文殊二脅侍菩薩，赤足而立，手托寶塔。

千手觀音菩薩

南宋

位于重慶大足縣寶頂石窟大佛灣第8龕。

身高300厘米。

菩薩戴高寶冠，寶繒飄然下垂，結跏趺坐于蓮座上，有手一千零七隻，執各種法器。旁邊爲二侍者。

女侍者

南宋

位于重慶大足縣寶頂石窟大佛灣第8龕千手觀音菩薩右側。

高160厘米。

女侍者着鳳冠霞帔，雙手交于腹前。

男侍者

南宋

位于重慶大足縣寶頂石窟大佛灣第8龕千手觀音菩薩左側。

高168厘米。

男侍者戴冠，穿尖領大袖朝袍，雙手持笏。

釋迦涅槃像

南宋

位于重慶大足縣寶頂石窟大佛灣第11窟。

佛身長3100厘米。

釋迦側卧，僅雕出上半身。釋迦周圍雕菩薩、弟子、眷屬和帝王等人物。

釋迦佛

南宋

位于重慶大足縣寶頂石窟大佛灣第11窟。釋迦佛螺髻，眼微睜，寂静慈祥。

菩薩

南宋

位于重慶大足縣寶頂石窟大佛灣第11龕釋迦佛旁。像高185厘米。菩薩半截身體未雕出，頭戴化佛寶冠，寶繒下垂，内着僧祇支，外披雙領下垂式袈裟，胸挂瓔珞，手執瓶、蓮花等物，作供養狀。

力士

南宋

位于重慶大足縣寶頂石窟大佛灣第14龕。

力士着甲衣戰裙，足穿靴，左手執帔帛上舉，右手執劍拄地。

父母恩重經變

南宋

位于重慶大足縣寶頂石窟大佛灣第15龕。

龕高700、寬1400厘米。

龕上層爲七佛，均螺髻，着雙領下垂式袈裟。中層表現父母養育兒女之恩。下層爲地獄。此龕雕塑表現了佛教與中國儒家倫理的融合。

懷胎守護恩

南宋

位于重慶大足縣寶頂石窟大佛灣第15龕。

坐婦像高120厘米。

爲一婦女端坐，一侍女遞碗。旁刻榜題文字："慈母懷胎日，全身重若鐵。面黄如有病，動轉亦身難。"

臨産受苦恩

南宋

位于重慶大足縣寶頂石窟大佛灣第15龕。

産婦像高140厘米。

圖爲一臨産婦由一侍女扶持，前下方有一助産婦，其後方有一巫師，手持書，作誦咒狀。

哺乳養育恩

南宋

位于重慶大足縣寶頂石窟大佛灣第15龕。

坐婦像高110厘米。

圖爲一婦女袒胸露乳，一孩童正吮吸其乳，旁有榜題文字："乳哺無時節，懷中豈暫離。不愁脂肉盡，唯恐小兒飢。"

究竟憐憫恩

南宋

位于重慶大足縣寶頂石窟大佛灣第15龕。

左像坐高115、右像跪高69厘米。

父母二人端坐，似對跪于地上的兒子諄諄教誨。旁有榜題文字："百歲惟憂八十兒，不捨作鬼也憂之。觀喜常不犯慈顔，非容易從來畏色難。"

雷公

南宋

位于重慶大足縣寶頂石窟大佛灣第16龕。

雷公獸首人身，其周圍設七面圓鼓，雷公張口吶喊，手執鎯頭用力擊鼓。

電母

南宋

位于重慶大足縣寶頂石窟大佛灣第16龕。

高242厘米。

電母婦女裝束，身繞帔帛，手持二鏡，上有電光發出。

雨師

南宋

位于重慶大足縣寶頂石窟大佛灣第16龕。

高160厘米。

雨師騎龍，戴冠，穿寬袖長袍，左手持鉢，右手執柳枝作瀝水狀。

旃遮摩耶

南宋

位于重慶大足縣寶頂石窟大佛灣第17龕。

高50厘米。

旃遮摩耶爲外道女，戴頭巾，垂辮，着寬袖袍，雙手執橫笛，作吹奏狀。

釋迦佛前世因地修行行孝圖

南宋

位于重慶大足縣寶頂石窟大佛灣第17龕。

共六組圖，由下至上爲：六師外道謗佛不孝；釋迦因地修行捨身濟虎；釋迦因地割肉供父母；釋迦因地鸚鵡行孝；釋迦因地行孝剜眼出髓爲藥；釋迦因地行孝孝證三十二相。

瞿舍離子

南宋

位于重慶大足縣寶頂石窟大佛灣第17龕。

高135厘米。

瞿舍離子爲六師外道之一。雙手執拍板，頭戴帽，穿寬袖長袍，臉呈欣喜之色。

阿難

南宋

位于重慶大足縣寶頂石窟大佛灣第17龕。

高124厘米。

阿難光頭，雙手拱揖而行。

觀無量壽佛經變

南宋

位于重慶大足縣寶頂石窟大佛灣第18龕。

龕高800、寬2200厘米。

西方净土三聖爲主像，僅露出半身，中間阿彌陀佛螺髮，身披袈裟，左右爲觀世音和大勢至菩薩。上方有天宫樓閣。下方欄杆之間刻“三品九生”，左右兩側及東西壁刻“十六觀圖”。

中品下生圖

南宋

位于重慶大足縣寶頂石窟大佛灣第18龕。

正中爲阿彌陀佛，結跏趺坐于蓮臺上。其左脅侍觀世音菩薩戴化佛寶冠，左手托鉢；右脅侍大勢至菩薩戴寶冠，中有寶瓶，雙手執長莖蓮花。下有蓮花化生童子。

信女

南宋

位于重慶大足縣寶頂石窟大佛灣第18龕右下角。

高75厘米。

信女梳雙髻，穿寬袖長袍，面相豐滿，雙手合十。

地藏菩薩

南宋

位于重慶大足縣寶頂石窟大佛灣第20龕。

高260厘米。

地藏菩薩頭戴化佛冠，身穿通肩天衣，外披袈裟，左手于腹前握寶珠，右手結説法印。左脅侍比丘持錫杖，右脅侍比丘尼捧鉢。

比丘

南宋

位于重慶大足縣寶頂石窟大佛灣第20龕。

高210厘米。

比丘面相豐圓，穿交領內衣，外披通肩雙領下垂式袈裟，雙手持錫杖恭立。

速報司侍者

南宋

位于重慶大足縣寶頂石窟大佛灣第20龕。

高170厘米。

侍者頭戴幞巾，穿圓領窄袖袍，腰上繫鈴鐺，左手執一旗，上有“速報司”字樣。

十王侍者

南宋

位于重慶大足縣寶頂石窟大佛灣第20龕。

侍者爲女性，束髻，雙手捧書卷。

十王侍臣

南宋

位于重慶大足縣寶頂石窟大佛灣第20龕。

高170厘米。

侍臣頭戴軟角幞頭，白眉深目，絡腮鬍鬚，着圓領廣袖長服，右手托文簿，左手指簿文。

鑊湯地獄

南宋

位于重慶大足縣寶頂石窟大佛灣第20龕。

一馬面鬼卒正攪一湯鍋，內有尸骨。鍋下鬼卒鼓風吹火。

寒冰地獄

南宋

位于重慶大足縣寶頂石窟大佛灣第20龕。

二受刑者赤身裸體，鬚眉挂霜，蹲坐雪山石上，作寒冷至極狀。

鋸解地獄

南宋

位于重慶大足縣寶頂石窟大佛灣第20龕。受刑者赤身裸體，倒吊于鋸架上，兩鬼卒一上一下用力拉鋸，鋸解其身。

截膝地獄

南宋

位于重慶大足縣寶頂石窟大佛灣第20龕。佛教認爲，飲酒亂性者入此地獄。

夫不識妻

南宋

位于重慶大足縣寶頂石窟大佛灣第20龕。

男像高145、女像高125厘米。

丈夫袒胸，醉眼惺忪，腰上纏銅錢；其妻子束髻，上着短衫，下束裙，一副着急模樣。

兄不識弟

南宋

位于重慶大足縣寶頂石窟大佛灣第20龕。

右像高85、左像高113厘米。

兄長酒醉跌坐于地上，怒目横眉，作呵斥狀；旁邊爲其弟，束雙髻，着交領長袍。

養鷄女

南宋

位于重慶大足縣寶頂石窟大佛灣第20龕。

高125厘米。

養鷄女梳髻，上插花，着交領長袍，下束裙，身軀豐滿，正打開鷄籠，有二鷄在争啄一蚯蚓。此圖位于“刀船地獄”上方。

厨女

南宋

位于重慶大足縣寶頂石窟大佛灣第20龕。

高112厘米。

厨女束髻，身穿交領長袍，提刀砍一羊頭。此圖位于“鐵輪地獄”上方。

鐵輪地獄

南宋

位于重慶大足縣寶頂石窟大佛灣第20龕。

鐵槽内卧一人，一鬼卒推巨大鐵輪輾壓其身。

柳本尊行化圖

南宋

位于重慶大足縣寶頂石窟大佛灣第21龕。

造像分爲兩層。上層爲柳本尊苦行修煉五組雕刻，下層爲文武官吏、達官顯貴以及庶民百姓等侍從人物雕像十身。

柳本尊

南宋

位于重慶大足縣寶頂石窟大佛灣第21龕。

高520厘米。

柳本尊生活在唐末五代時期，爲四川密宗瑜伽派的祖師。圖中柳本尊世俗居士裝束，結跏趺坐于蓮座上，兩側雕刻其事迹和信徒。

降三世明王

南宋

位于重慶大足縣寶頂石窟大佛灣第22龕。

高210厘米。

降三世明王爲金剛手菩薩之化身。三頭六臂，竪髮，獠牙外露，手持劍、降魔杵和山石等物。頂出一毫光，上有金剛手菩薩。

大憤怒明王

南宋
位于重慶大足縣寶頂石窟大佛灣第22龕。
高200厘米。
大憤怒明王爲除蓋障菩薩之化身。三頭四臂，頭髮上竪，獠牙外張，袒上身，挂瓔珞。

大穢迹明王

南宋
位于重慶大足縣寶頂石窟大佛灣第22龕。
高400厘米。
大穢迹明王爲釋迦牟尼佛之化身。三頭六臂，竪眉瞪目，獠牙外張，作憤怒狀。

牧牛圖（上圖）

南宋

位于重慶大足縣寶頂石窟大佛灣第30龕。

一牧人頭戴尖頂圓帽，身穿小袖衣，雙足正面分開而站，雙手力牽狂奔之牛的鼻繩。

牧牛圖

南宋

位于重慶大足縣寶頂石窟大佛灣第30龕。

牧人攀肩并坐山石上，手繫牛鼻繩，作相互耳語嬉笑狀。左側牛似静聽牧人耳語，右側牛跪飲山泉。

賢善首菩薩

南宋

位于重慶大足縣寶頂石窟大佛灣第29窟。

賢善首菩薩頭戴化佛花冠，胸飾瓔珞，身着天衣，右手曲于胸前，左手撫膝，半跏趺坐。

獅子

南宋

位于重慶大足縣寶頂石窟大佛灣第29窟。

青獅嘴微張，眼突起，頸下繫一鈴，足粗壯有力，作蹲狀。

千佛

南宋

位于重慶大足縣寶頂石窟小佛灣第5窟。

壁上部刻四十圓龕，龕内坐佛，坐姿手勢各异。下部刻金剛護法六尊，手持兵器，相貌凶猛。

金剛

南宋

位于重慶大足縣寶頂石窟小佛灣第8龕。

金剛頭戴盔，怒目齜牙，全身披甲，左手撐腿，右手拄金剛杵于腹前，作蹲坐式。

三清像

南宋

位于重慶大足縣南山石窟第5窟。

龕内造像分爲上下兩層。上層正壁刻三清主像，左右壁和下層刻玉泉、紫微、勾陳和后土四御以及斗姆元君、碧霞元君和各種天神形象。

龍

南宋

位于重慶大足縣南山石窟第5窟。

龍頭回顧昂起，龇牙咧嘴，左前爪握一寶珠，其餘三足踩于山石之上，似欲騰空而起。龍頭後上方刻一男像，作敬獻狀。

天尊巡游

南宋

位于重慶大足縣南山石窟第5窟。

刻天尊主像，其前後左右刻三層十九尊侍者像，場面宏大。

志公和尚（上圖）

北宋

位于重慶大足縣石篆山石窟第2龕。

志公和尚着寬袖長袍，左手執尺，腕上挂剪刀，旁邊爲其徒弟，肩挑掃帚和秤。

太上老君

北宋

位于重慶大足縣石篆山石窟第8龕。

老君束髻，着寬袖袍，左手按几，右手執扇，盤坐于高臺上。兩側各有立像七尊。

比丘

北宋

位于重慶大足縣石篆山石窟第7龕。

比丘光頭，貼身着相交叠領衣，外着廣袖袈裟，雙手持數珠，雙脚赤裸而立。

仲由

北宋

位于重慶大足縣石篆山石窟第6龕。

此像爲“孔子及弟子”造像中的仲由。其頭戴冠，身着廣袖長袍，腰束玉帶，雙手于胸前捧笏。

坐佛

北宋

位于重慶大足縣石篆山石窟第7龕。

佛螺髻，内着僧祇支，外披廣袖袈裟，左手撫膝，右手作説法印，結跏趺坐于仰蓮座上。

玉皇大帝

南宋

位于重慶大足縣舒成岩石窟第5龕。

高125厘米。

玉帝着帝王裝束，頭戴冕，雙手執圭，端坐于椅上。兩側侍女執日月寶扇。

淑明皇后

南宋

位于重慶大足縣舒成岩石窟第1龕。

高134厘米。

淑明皇后爲東岳大帝之夫人。頭戴鳳冠，身着圓領短袖服，下束裙襦，脚穿雲頭鞋，雙手籠于袖内。兩側爲侍從，着圓領窄袖袍，戴幞頭，雙手捧寶盒。

千里眼 順風耳

南宋

位于重慶大足縣石門山石窟第2龕。

千里眼眼如銅鈴，上身着護胸甲，手持法器；順風耳兩耳上聳，上身斜挂綬帶，手持蛇形法器。

天王

南宋

位于重慶大足縣石門山石窟第6窟外左壁。

天王頂盔着甲，六臂，胸前雙手結至上菩提印，腹前左手扼右腕，持劍拄地，身之兩側左手持羂索，右手持鞭。

天王

南宋

位于重慶大足縣石門山石窟第6窟外右壁。

天王頂盔着甲，三頭六臂，有圓形頭光，胸前雙手殘，左上手持劍，右上手托風火輪，左下手持弓，右下手持箭。

觀音菩薩

南宋

位于重慶大足縣石門山石窟第6窟右壁。

從内至外立如意珠觀音、寶鏡手觀音、蓮花手觀音、如意輪觀音、數珠手觀音和龍女觀音。

如意珠觀音菩薩

南宋

位于重慶大足縣石門山石窟第6窟右壁。

觀音頭戴高花冠，胸飾瓔珞珠串，身着袒右肩袈裟，左手持一柄荷花，荷花上置一如意珠，右臂下垂。此圖爲局部。

數珠手觀音菩薩

南宋

位于重慶大足縣石門山石窟第6窟右壁。

菩薩戴化佛寶冠，胸飾瓔珞，身着袒雙臂袈裟，雙手交于腹部，右手持珠串。

蓮花手觀音菩薩

南宋

位于重慶大足縣石門山石窟第6窟右壁。

菩薩戴化佛寶冠，胸飾瓔珞，身着袒右袈裟，左手于胸前持一柄蓮花，右手持飄帶。

楊柳手觀音菩薩

南宋

位于重慶大足縣石門山石窟第6窟左壁。

菩薩頭戴高花冠，胸飾瓔珞，身着廣袖袈裟，左手于胸前托鉢，右手持楊柳枝。

善財

南宋

位于重慶大足縣石門山石窟第6窟左壁。

善財頭戴束髮冠，貼身着緊身衣，外着廣袖長袍，雙手托盤，雙脚着靴而立。

孔雀明王

南宋

位于重慶大足縣石門山石窟第8窟。

孔雀明王四臂，坐于孔雀背馱的蓮座上。頭戴花冠，胸飾瓔珞，内着僧祇支，外着短袖袈裟，手中分别持麈尾、荷包、經卷和寶珠。

武將

南宋

位于重慶大足縣石門山石窟第10窟右壁。

武將三頭四臂，頭上戴冠，身着甲衣，肩飾坎肩，身前左手于胸前結印，右手持劍拄地（劍已失），身後左手持戟拄地，右手擒一龍頭。

武將

南宋

位于重慶大足縣石門山石窟第10窟左壁。

武將三頭六臂，頭戴束髮冠，怒目圓睁，身着甲衣，雙脚着鞋而立。手中分别持玉印、弓、龍角、鈴鐸、箭和鉞等。

文官

南宋

位于重慶大足縣石門山石窟第10窟左壁。

兩文官皆戴高冠，身着圓領廣袖長袍服，雙手捧笏，脚穿雲頭鞋而立。

飛天

南宋

位于重慶大足縣妙高山石窟第4窟。

飛天頭戴花冠，胸飾瓔珞，外着短袖天衣，左手殘，右手上舉托香花，跪蹲于祥雲之上。

觀世音菩薩

南宋

位于重慶大足縣妙高山石窟第4窟。

從右至左分别爲寶鏡手觀音、寶鉢手觀音、羂索手觀音、净瓶觀音和蓮花手觀音。

水月觀音菩薩

南宋

位于重慶大足縣妙高山石窟第5窟。

菩薩頭戴花冠，面形豐滿，胸飾瓔珞，外着短袖柔薄天衣，左手撑座臺，右手置于右膝上，游戲坐于金剛座上。左右分别爲善財和龍女。

潼南大佛寺摩崖

位于重慶潼南縣梓潼鎮定明山北麓。開鑿于隋代，唐和南宋續有開鑿。現存像龕一百二十四個，石雕造像八百身。

坐佛

唐

位于重慶潼南縣大佛寺。

高1843厘米。

佛面相豐圓，身着雙領下垂式袈裟，左手撫膝，右手置腹前，結跏趺坐。

淶灘摩崖

位于重慶合川區淶灘鎮二佛寺。開鑿于南宋。現存石雕造像一千六百一十三身。

太乙救苦天尊

南宋

位于重慶潼南縣大佛寺太乙救苦天尊龕。

高182厘米。

太乙救苦天尊頭戴束髮蓮花冠，外着對襟黄帔，左手置腹前，右手曲肘，立于二層仰蓮臺上。

達摩

南宋

位于重慶合川區淶灘摩崖南岩第3龕。

高273厘米。

達摩頭偏右，面相豐圓，雙耳墜圓璫，身着通肩廣袖袈裟，袖手赤足而立。

泗州大聖

南宋

位于重慶合川區淶灘摩崖西岩第14龕。

高258厘米。

泗州大聖頭戴披風，額間有白毫，内着僧祇支，外着袒胸交領袈裟，右手置腹前。

禪宗六祖

南宋

位于重慶合川區淶灘摩崖西岩第15龕。

此圖爲禪宗六祖中的達摩禪師、慧可禪師和僧璨禪師。達摩祖師雙手交叠于腹部，無絡腮鬍鬚；慧可禪師頭披風帽，右手執斷手；僧璨禪師手執一串念珠。

彌勒佛

南宋

位于重慶合川區淶灘摩崖北岩第2龕。

高1250厘米。

彌勒佛螺髮，面相長圓，頸刻蠶節紋，着雙領下垂式袈裟，右手曲肘伸二指，倚坐。

龍女

南宋

位于重慶合川區淶灘摩崖北岩第2龕。龍女袒上身，繞帔帛，下着長裙，身後及脚下刻祥雲。

羅漢群像

南宋

位于重慶合川區淶灘摩崖北岩第3龕。羅漢或合十，或袖手，或交臂，或捧物，或托鉢，造型各异。

高坪石佛寺

位于重慶江津區德感鎮高坪村。開鑿于北宋，南宋有續建。現存窟龕六個，石雕造像四百餘身。

觀世音菩薩

北宋

位于重慶江津區高坪石佛寺第1龕。

菩薩面相豐潤，頭戴高花冠，袒上身，繞帔帛，飾瓔珞，下着裙，呈游戲坐式。

供養菩薩

北宋

位于重慶江津區高坪石佛寺第1龕。

菩薩束高髻，身披帔帛，飾瓔珞，雙手捧盤，跪于須彌臺上。

比丘

南宋

位于重慶江津區高坪石佛寺第4龕。

比丘身着交領袈裟，左手施祈禱印，右手持錫杖。

九龍浴太子

北宋

位于重慶江津區高坪石佛寺第2龕。

龕門柱左右各刻一龍，龕額刻九龍吐水，龕正中刻童相太子，光頭，着肚兜，右手指天，左手指地，立于仰覆蓮臺上。

泗州僧伽

南宋
位于重慶江津區高坪石佛寺第4龕。
泗州僧伽交手置于三足憑几上，結跏趺坐。

彈子石摩崖

位于重慶南岸區集翠村。開鑿于元代晚期。現存洞窟二個，石雕造像十餘身。

坐佛

元
位于重慶南岸區彈子石摩崖第1窟。
高750厘米。
大佛螺髮，內着僧祇支，外披袒右袈裟，左手撫膝，右手作説法印，結跏趺坐于方壇上。

桂林石窟

分布于廣西桂林市附近的多處山中。開鑿于唐代，宋代續有營建。現存唐代像龕一百四十九個，石雕造像四百八十四身；宋代像龕二十六個，石雕造像一百餘身。

佛龕

唐

位于廣西桂林市還珠洞摩崖上層。

弧頂蓮瓣形淺龕，正中刻釋迦佛結跏趺坐于仰蓮臺上，佛左右各刻一弟子一菩薩，龕口左右各刻一供養人。

釋迦佛

唐

位于廣西桂林市還珠洞摩崖下層右壁。

釋迦佛身着雙領下垂大衣，左手結禪定印，右手施降魔印，結跏趺坐于束腰方座上。

西方三聖

唐

位于廣西桂林市還珠洞摩崖下層右壁。

主尊阿彌陀佛結跏趺坐于束腰懸裳座上，左側刻觀世音菩薩，右側刻大勢至菩薩，龕口左右各刻一力士。

坐佛

唐

位于廣西桂林市還珠洞摩崖下層右壁。

龕正中刻一佛結跏趺坐于仰蓮座上，左右各刻一菩薩立于仰蓮臺上。

阿彌陀佛

唐

位于廣西桂林市還珠洞摩崖下層右壁。

阿彌陀佛身着大衣，雙手和下半身風化殘毀，立于方臺上。

彌勒佛

唐

位于廣西桂林市還珠洞摩崖下層左壁。

彌勒佛身着大衣，右手撫胸，左手撫膝，倚坐，赤足踏二仰蓮。

佛 弟子

北宋

位于廣西桂林市叠彩山摩崖。

圖中左上方爲一佛二弟子，餘皆爲佛像，均無頭光，或立于蓮臺，或結跏趺坐于仰蓮座上，或倚坐，赤足踏二仰蓮。

石鐘山石窟

位于雲南劍川縣南部。始鑿于南詔勸豐祐時期（公元824-859年），大理國時期大規模營建。現存洞窟十六個，石雕造像一百三十九身。

异牟尋坐朝圖

大理國

位于雲南劍川縣石鐘山石窟石鐘寺區第1窟。

主像高105厘米。

窟爲仿殿堂式外方内圓拱屋形龕。壇中央雕刻第六代南詔王异牟尋，頭戴蓮花金剛寶塔頭囊，身穿圓領寬袖錦袍，袖手坐于雙龍頭椅上。兩旁或坐或立官吏和武士。

官吏及儀衛

大理國

位于雲南劍川縣石鐘山石窟石鐘寺區第1窟。

左側一人倚坐，戴平伸翅幞頭，着圓領寬袖長袍，雙手籠于袖内。旁爲隨從，或執扇，或執劍。

閣邏鳳議政圖

大理國

位于雲南劍川縣石鐘山石窟石鐘寺區第2窟。

主像高96厘米。

主像爲第五代南詔王閣邏鳳，頭戴橢圓形頭囊，展脚上翹，身着圓領寬袖錦袍，袖手坐于龍頭椅上。

侍衛武士

大理國

位于雲南劍川縣石鐘山石窟石鐘寺區第2窟。
武士内甲外袍，手執赤藤杖或旌旗。

地藏菩薩

大理國

位于雲南劍川縣石鐘山石窟石鐘寺區第3窟。

地藏菩薩頭戴風帽，倚坐于束腰方形蓮座上，足踏仰蓮。

華嚴三聖

大理國

位于雲南劍川縣石鐘山石窟石鐘寺區第4窟。

窟中央雕倚坐釋迦牟尼佛，佛兩側浮雕迦葉、阿難二弟子，佛右雕騎象普賢菩薩，佛左雕騎獅文殊菩薩。

普賢菩薩

大理國

位于雲南劍川縣石鐘山石窟石鐘寺區第4窟。

菩薩頭戴高花冠，雙手持如意，結跏趺坐于白象承托之蓮座上。象身披毯，胸挂金鏈。象奴雙手持鈎。

維摩詰

大理國

位于雲南劍川縣石鐘山石窟石鐘寺區第5窟。

高60厘米。

維摩詰頭扎巾，右手結印，左手持羽扇，結跏趺坐于山岩上。

坐佛

大理國

位于雲南劍川縣石鐘山石窟石鐘寺區第6窟中龕。

佛螺髮，身着袒右袈裟，右手施降魔印。佛身后飾火焰形背光，背光兩側各浮雕一繞雲金剛杵。佛兩側弟子立于仰蓮座上。

六足尊明王

大理國

位于雲南劍川縣石鐘山石窟石鐘寺區第6窟。

六足尊明王六面六臂，每面三目，六臂各手持法器或結印，屈六足坐于一卧牛上。

大笑明王

大理國

位于雲南劍川縣石鐘山石窟石鐘寺區第6窟。

大笑明王三首六臂，每面三目，六臂各手持如意寶珠等法器，足踏三目夜叉。

大黑天

大理國

位于雲南劍川縣石鐘山石窟石鐘寺區第6窟。

像高180厘米。

大黑天三目，頭戴骷髏冠，雙耳挂蛇，左肩挂骷髏串，四臂，各手執法器，雙足纏蛇。

甘露觀音

大理國

位于雲南劍川縣石鐘山石窟石鐘寺區第7窟。

高182厘米。

觀音頭戴化佛花冠，右手舉楊枝，左手于腹前托鉢。左右各立一供養侍女。

阿彌陀佛 菩薩

大理國

位于雲南劍川縣石鐘山石窟石鐘寺區第8窟。

阿彌陀佛螺髻，雙手結彌陀定印，結跏趺坐于蓮座上；佛座下正中刻地藏菩薩舒相坐于蓮臺上；地藏左側刻觀世音菩薩，右側刻大勢至菩薩。

毗盧佛 菩薩

大理國

位于雲南劍川縣石鐘山石窟石鐘寺區第8窟。

毗盧佛螺髻，右手作說法印，左手作降魔印，結跏趺坐于蓮座上；佛座下正中刻一坐佛，作禪定印，趺坐于仰蓮臺上；坐佛左右各刻一菩薩。

毗沙門天王

大理國

位于雲南劍川縣石鐘山石窟沙登箐區第4龕。

毗沙門天王圓形火焰頭光，頭戴盔，身披甲，繞帔帛，左手托塔，右手執戟，形象威猛。

三臺山摩崖

位于雲南禄勸彝族苗族自治縣密達拉鄉。開鑿于大理國時期。現存造像二身。

大黑天

大理國

位于雲南禄勸彝族苗族自治縣密達拉三臺山摩崖。

大黑天三面三目，正面怒目，頭帶骷髏冠，左肩至右肩斜挂一串骷髏，右三臂分别持三叉戟、劍和念珠，左三臂分别持骷髏鉢、鼓和羂索。此圖爲局部。

清源山造像

位于福建泉州市北郊。開鑿于北宋，元代有續鑿。現存洞窟六個，石雕造像八身。

太上老君

北宋

位于福建泉州市清源山。

高563厘米。

老君雙眼平視，兩耳垂肩，面含笑容，蒼髯飛動，左手撫膝，右手憑几。

釋迦牟尼佛

北宋

位于福建泉州市清源山。

高400厘米。

釋迦牟尼佛螺髻，左手下伸，右手上舉，赤足立于蓮花座上。

南天寺造像

位于福建晋江市東石鎮岱山之麓。開鑿于南宋，至清代均有修繕。

阿彌陀佛

南宋

位于福建晋江市南天寺。

高690厘米。

阿彌陀佛螺髻，雙耳垂肩，披衣袒胸，手作彌陀印，結跏趺坐于蓮花座上。

大勢至菩薩

南宋
位于福建晋江市南天寺。
高690厘米。
大勢至菩薩頭戴花冠，身着寬袖大衣，胸飾瓔珞，左手持經卷，右手上舉。

觀世音菩薩

南宋
位于福建晋江市南天寺。
高690厘米。
觀世音菩薩頭戴花冠，身着寬袖大衣，胸飾瓔珞，左手上舉，右手持净瓶。

草庵造像

位于福建晋江市羅山鎮蘇内村華表山。寺創立于南宋，爲摩尼教寺院。

摩尼光佛

元

位于福建晋江市羅山鎮草庵摩尼教寺。

高152厘米。

摩尼光佛面相豐潤，頭髮披肩，下巴有兩縷長鬚，身着寬袖僧衣，雙手置于腹前。像龕旁有至元五年（公元1339年）題記。

通天岩石窟

位于江西贛州市西北郊。開鑿于北宋。現存窟龕三百一十五個，石雕造像三百五十九身。

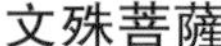

文殊菩薩

北宋

位于江西贛州市通天岩石窟。

高146厘米。

菩薩頭戴花鬘冠，右舒相坐于獅上。

羅漢

北宋

位于江西贛州市通天岩石窟。

高192厘米。

羅漢高額，喉結突出，内着僧祇支，外披袈裟，足着履，右手執杵，左手撫膝。

石窟寺分布圖

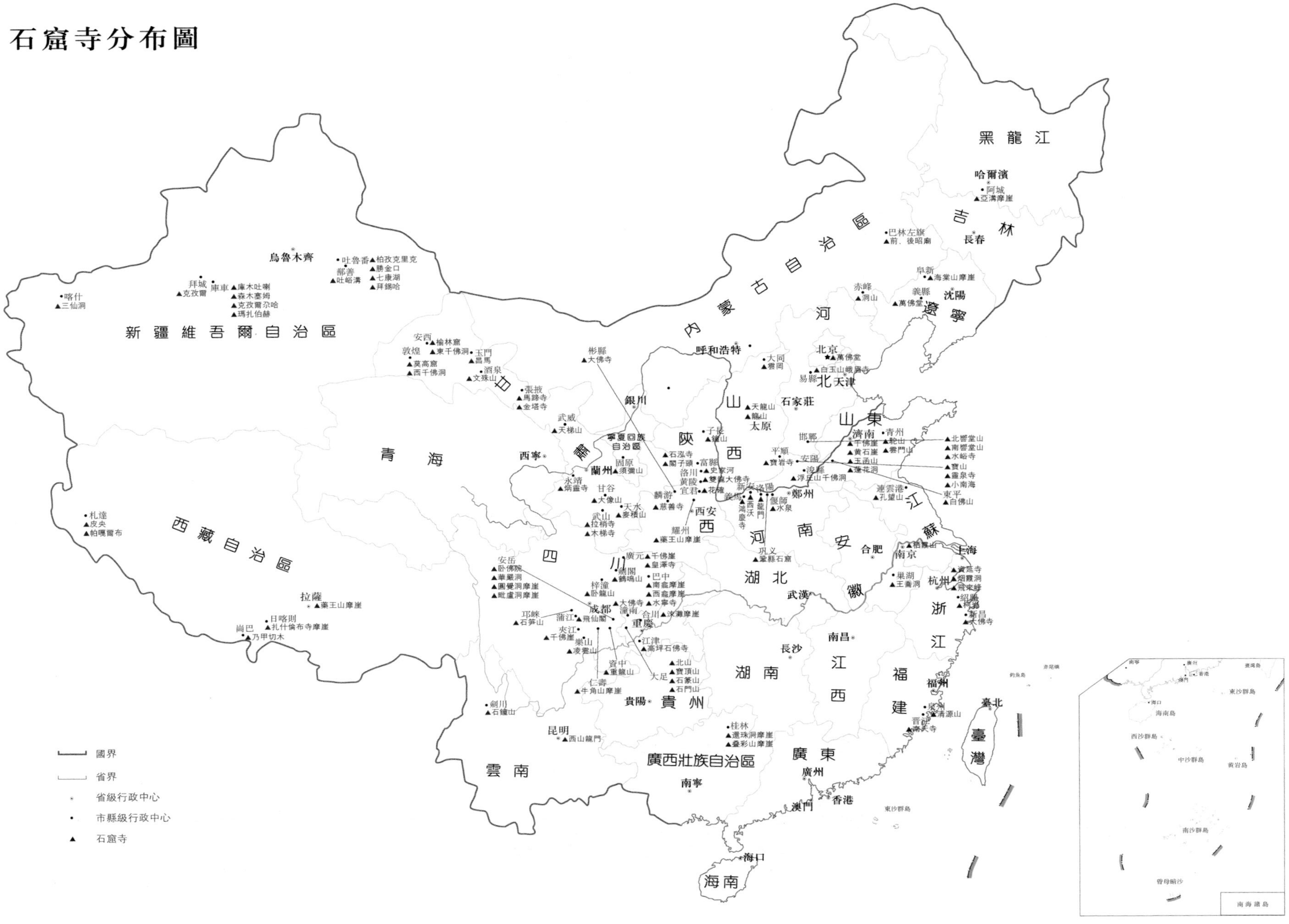

黑龍江
哈爾濱
阿城
亞溝摩崖
吉林
長春
巴林左旗
前、後昭廟
遼寧
沈陽
阜新
海棠山摩崖
義縣
萬佛堂
赤峰
洞山
河北
北京
萬佛堂
北天津
易縣
白玉山鐵佛寺
石家莊
邯鄲
內蒙古自治區
呼和浩特
大同
雲岡
山西
太原
天龍山
龍山
子長
鐘山
平順
寶岩寺
山東
濟南
千佛崖
黃石崖
玉函山
蓮花洞
青州
駝山
雲門山
北響堂山
南響堂山
水峪寺
寶山
靈泉寺
小南海
東平
白佛山
安陽
浚縣
浮丘山千佛洞
河南
鄭州
洛陽
新安
義馬
偃師
水泉
西沃
龍門
鴻慶寺
鞏义
鞏縣石窟
江蘇
南京
棲霞山
連雲港
孔望山
上海
安徽
合肥
巢湖
王喬洞
浙江
杭州
資賢寺
煙霞洞
飛來峰
新昌
大佛寺
湖北
武漢
湖南
長沙
江西
南昌
福建
福州
泉州
清源山
晉江
臺灣
臺北
廣東
廣州
香港
澳門
海南
海口
廣西壯族自治區
南寧
桂林
還珠洞摩崖
疊彩山摩崖
貴州
貴陽
雲南
昆明
西山龍門
劍川
石鐘山
四川
成都
飛仙閣
廣元
千佛崖
皇澤寺
閬中
鶴鳴山
巴中
南龕摩崖
西龕摩崖
水寧寺
梓潼
臥龍山
大佛寺
潼南
合川
淶灘摩崖
重慶
江津
高坪石佛寺
大足
北山
寶頂山
石篆山
石門山
資中
重龍山
仁壽
牛角山摩崖
夾江
千佛崖
樂山
凌雲山
蒲江
邛崍
石筍山
安岳
臥佛院
華嚴洞
圓覺洞摩崖
毗盧洞摩崖
陝西
西安
彬縣
大佛寺
子長
富縣
石泓寺
閣子頭
洛川
史家河
黃陵
雙龍大佛寺
宜君
花石崖
麟游
慈善寺
耀州
藥王山摩崖
寧夏回族自治區
銀川
固原
須彌山
甘肅
蘭州
永靖
炳靈寺
甘谷
大像山
天水
麥積山
武山
拉梢寺
木梯寺
武威
天梯山
張掖
馬蹄寺
金塔寺
酒泉
文殊山
玉門
昌馬
安西
榆林窟
東千佛洞
敦煌
莫高窟
西千佛洞
青海
西寧
新疆維吾爾自治區
烏魯木齊
吐魯番
柏孜克里克
勝金口
七康湖
鄯善
吐峪溝
拜城
克孜爾
庫車
庫木吐喇
森木塞姆
克孜爾尕哈
瑪扎伯赫
喀什
三仙洞
拜錫哈
西藏自治區
拉薩
藥王山摩崖
日喀則
扎什倫布寺摩崖
崗巴
乃甲切木
札達
皮央
帕嘎爾布

國界
省界
省級行政中心
市縣級行政中心
石窟寺

南海諸島

年　表

（紅色字體爲本卷涉及時代）

新石器時代（公元前8000－公元前2000年）

夏（公元前21世紀－公元前16世紀）

商（公元前16世紀－公元前11世紀）

西周（公元前11世紀－公元前771年）

春秋（公元前770年－公元前476年）

戰國（公元前475年－公元前221年）

秦（公元前221年－公元前207年）

漢（公元前206年－公元220年）

三國（公元220年—公元265年）

魏（公元220年—公元265年）

蜀（公元221年—公元263年）

吴（公元222年—公元280年）

西晋（公元265年—公元316年）

十六國（公元304年—公元439年）

東晋（公元317年—公元420年）

北朝（公元386年—公元581年）

北魏（公元386年—公元534年）

東魏（公元534年—公元550年）

西魏（公元535年—公元556年）

北齊（公元550年—公元577年）

北周（公元557年—公元581年）

南朝（公元420年—公元589年）

宋（公元420年—公元479年）

齊（公元479年—公元502年）

梁（公元502年—公元557年）

陳（公元557年—公元589年）

隋（公元581年—公元618年）

唐（公元618年—公元907年）

五代十國（公元907年—公元960年）

遼（公元916年—公元1125年）

宋（公元960年—公元1279年）

北宋（公元960年—公元1127年）

南宋（公元1127年—公元1279年）

西夏（公元1038年—公元1227年）

金（公元1115年—公元1234年）

元（公元1271年—公元1368年）

明（公元1368年—公元1644年）

清（公元1644年—公元1911年）